De BSK-club

Els Ruiters

De BSK-club

met tekeningen van Rick de Haas

Uitgeverij Ploegsma Amsterdam

Kijk ook op:
www.ploegsma.nl
www.elsruiters.nl

AVI 9

ISBN 978 90 216 2211 8 / NUR 282/283

Vormgeving omslag: Steef Liefting

Inhoud

Een super(saaie) excursie

'Er lijkt me geen klap aan,' bromde Bob tegen Sara terwijl ze tussen hun klasgenoten stonden te wachten tot de meester ook bij de fietsenstalling was. 'Wat moeten we nou in een kas? Dat is toch vreselijk saai!'

Sara tikte zwijgend op haar voorhoofd. Ze was het helemaal met hem eens. Eergisteren vertelde meester Frank vol trots in de klas dat hij een leuk uitje had geregeld. Alle kinderen van groep 7B waren meteen rechtop gaan zitten. Uitje? Naar het zwembad? Of naar die supervette speeltuin met die grote trampolines? Of misschien wel naar de Efteling of Walibi...!

'We gaan naar een tropische bloemenkas, jongens,' kondigde de meester aan.

Wat? Een bloemenkas?!

'Het is echt heel bijzonder, hoor,' zei meester Frank toen hij de gezichten van de kinderen zag betrekken. 'Tropische bloemen, hoe vaak krijg je nou de kans om die in het echt te zien?'

Sara geeuwde achter haar hand. 'Klinkt reuze interessant,' mompelde ze. Eugene, die aan de ene kant van haar zat, poetste zijn bril met de punt van zijn T-shirt.

'Vreselijk interessant,' antwoordde hij zachtjes. 'Vast net zo leuk als mijn golfles.' Eugene had een vreselijke hekel aan golfen, maar het moest van zijn ouders. Die vonden dat golfles bij de opvoeding hoorde.

'Meneer en mevrouw Levis kweken bijzondere planten en bloemen,' zei de meester. 'Jongens, ik snap best dat jullie liever op de waterglijbaan hadden gezeten of met z'n allen naar Bobbejaanland waren gegaan, maar we moeten ook wel eens wat doen aan cultuur en natuur. Dit is de ideale gelegenheid om iets bijzonders te zien, en het kost ons niets!'

'Het ís ook niets,' mopperde Sara weer.

'We hoeven in ieder geval niet in de klas te zitten,' fluisterde Bob tegen haar. 'Dat valt dan weer mee.'

'Donderdag komen jullie op de fiets naar school. Daarna rijden we naar meneer en mevrouw Levis. Ik heb al een brief voor jullie ouders klaar.'

'Meneer, móét je per se mee?' vroeg Rosalie, een meisje dat heel erg vlug buikpijn kon krijgen als het haar uitkwam.

'Ja, Rosalie, je moet mee. Dit is niet alleen voor het eindcijfer op je rapport: het is ook een soort wedstrijdje. Wie het mooiste werkstuk maakt van wat we daar te zien krijgen, wordt uitgeroepen tot winnaar.'

Bob, die aan de andere kant van Sara zat en ook niet veel zin had om in een of andere duffe kas rond te sjokken, vroeg: 'Winnaar? Wat valt er dan te winnen?'

'Een zakje zonnebloemzaadjes,' zei Sara droogjes. Een paar kinderen giebelden.

Meester Frank keek haar streng aan, om vervolgens de klas rond te kijken. 'Ik heb een paar vrijkaartjes voor het wildwaterbanenpark, maar als jullie zo reageren kan ik ze ook zelf gebruiken, natuurlijk,' zei hij kalm.

Vrijkaartjes voor het wildwaterbanenpark? Waarom zei hij dat niet meteen?

'We hebben toch niet gezegd dat we hier willen blijven?' riep Jan-Joost en de andere kinderen in de klas knikten heftig. Een uitje naar de kas was opeens gewéldig interessant.

'Hm,' zei Sara tegen Bob en Eugene, 'ik denk dat ik donderdag een hoofdpijntje voel opkomen.' Sara hield niet van zwemmen. Dat kaartje, dat mocht de meester in zijn borstzak steken, wat haar betrof.

'Ah, doe niet zo flauw,' zei Bob. 'Jij maakt altijd hartstikke mooie werkstukken. En ik wil dat kaartje wél hebben, als jij het niet wilt...'

Eugene keek ook al een beetje moeilijk. 'Anders zitten wij met die stomme klas opgescheept,' zei hij, maar wel zo zachtjes dat de anderen hem niet konden horen.

Als ze wilde kon Sara verdraaid koppig zijn en onder zo'n excursie wist ze ook nog wel uit te komen. Bob kende haar maar al te goed en drong een beetje meer aan. 'Ook al vind je er niks aan om te gaan zwemmen, je kunt ons toch niet alleen in zo'n stomme kas laten rondsjouwen? Plies... toe?'

Sara zuchtte. 'Vooruit dan maar. Omdat je het zo lief vraagt.' Ze kneep haar ogen tot spleetjes om de letters op het bord te zien. 'Wat staat daar nou onderaan?'

'14 juni, excursie,' las Bob voor. 'Moet jij ook niet eens aan een bril?'

Dat was twee dagen geleden. Meester Frank kwam glunderend uit de lerarenkamer naar buiten en liep naar de wachtende kinderen bij de fietsenstalling. Hij had vanmorgen al wel drie keer gezegd hoe bijzonder en geweldig deze middag zou worden.

'Geweldig voor hem, ja,' zei Sara. 'Als het kon, liep hij de hele dag rond met een vangnetje om vlindertjes te bestuderen. Hij had beter biologie kunnen gaan studeren.'

Eugene en Bob grinnikten en haalden hun fietsen van het slot. Bob bleef met zijn broek achter een trapper van de fiets van Eugene haken, die prompt omviel. Hij zuchtte en trok onhandig de fiets overeind. Met een rood hoofd duwde hij het stuur in Eugenes handen. 'Sorry, Eus.'

'Wat heb je daar, Sara?' vroeg Eugene, die niet eens opkeek van het ongelukje.

Sara, die aan de andere kant stond, bond een rugzakje onder haar snelbinder. De meester had gezegd dat ze geen eten of drinken mee hoefden te nemen.

'Ik mocht mams digitale cameraatje meenemen,' legde ze uit. 'Altijd handig als we iets moeten natekenen.'

'Ach, ik zoek het gewoon op internet op,' zei Bob tegen de andere twee. 'Ik heb echt geen zin om er veel voor te doen, hoor.'

10

'Klakkeloos stukken overnemen van internet is niet de bedoeling,' riep de meester over de hoofden van de kinderen. 'Denk maar niet dat ik dat niet merk. We krijgen veel informatie en ik verwacht dat jullie daar iets mee doen. Je mag wel dingetjes opzoeken, maar ik wil lezen in het werkstuk wat voor vragen jullie hebben gesteld, wat voor antwoord je hebt gekregen, waar je meer over zou willen weten en ik wil kunnen zien wat je interessant vond.'

'Hm. Weinig internet dus,' bromde Eus.

'Ik heb snoep bij me,' zei Bob. 'Lusten jullie een dropje?'

Sara knikte, maar Eugene schudde zijn hoofd, waarbij zijn keurig geknipte blonde haren meegolfden. 'Straks, wacht maar tot we er zijn. Als je de zak nu openmaakt, scheurt die misschien en dan ligt alle drop op het schoolplein en heb jij niks meer.'

‘Opzij,’ schreeuwde Jan-Joost, die hem voorbij fietste. ‘Sara de bolle, Bob de sukkel en Eugene de kakker! Pas op, jongens! De bolle-sukkel-kakkerclub komt eraan!’

Bob trok een lelijk gezicht en Eugene rolde verveeld met zijn ogen, maar Sara boog zich wat dieper over haar snelbinders en het rugzakje heen.

‘Wat is het toch een zeikerd. Nou durft hij wel, als de meester niet in de buurt is,’ gromde Eugene boos. ‘Laat hem maar, Sara. Niks van aantrekken.’

‘Pfft,’ zei Sara en ze haalde haar schouders op. ‘Van dat losertje? Ben je mal.’ Bob en Eugene wisten dat ze het vreselijk vond om uitgescholden te worden, ook al deed ze net of dat niet zo was. Ze schudde haar rossige krullen naar achteren en stapte met haar kin omhoog op de fiets.

‘Kom, boys. Op naar die ouwe knarren. Het kan nooit erger zijn dan die fijne klas van ons.’

Ze volgden de rest het schoolplein af. De excursie naar de tropische bloemenkas was begonnen.

Even voorstellen

Het wordt tijd om de drie leden van de bolle-sukkel-kakker-club voor te stellen. Laat ik beginnen met Bob. Want eigenlijk gaat dit verhaal over hem, ook al zijn de twee anderen net zo belangrijk.

Bob, lang en mager, is een slungelige jongen met dunne donkere piekharen en bruine ogen achter een kleine bril. Op zijn linkerwang heeft hij een littekentje, overgehouden aan een voetbalwedstrijd. Daar zat ooit een diepe snee, die gehecht moest worden. Sindsdien houdt hij niet meer van voetbal. Sporten vindt hij sowieso niet veel soeps. Veel liever zit hij achter zijn computer, urenlang. Lekker een spelletje doen: racen, of tetris, of kaartspelletjes, soms een potje schaken. Bob heeft één zus die op kamers woont omdat ze studeert, en zijn ouders hebben een pannenkoekenhuis. Dat staat tegen hun woonhuis aan. Bob heeft leuke ouders, hij kan best goed tekenen, aardig leren en op de computer is hij supersnel. Er is maar één ding waar hij een beetje wanhopig van wordt en dat is dat hij zo vreselijk onhandig is. Hij struikelt nog over een grassprietje. Niet voor niks is hij de sukkel van het clubje.

Nummer twee in dit rijtje is de rustige Eugene. Dat spreek je uit als Euzjèn. Door Bob en Sara wordt hij 'Eus' genoemd en de rest van de klas zegt 'kakker' tegen hem. Eugene is enig kind. Zijn moeder koopt afgrijselijke kleren voor hem: lange ruitjesbroeken en lichtblauwe en eigele truien. Ze zijn niet alleen duur, ze zijn ook nog eens foeilelijk. Op zijn neus staat een dure blauwe bril, die natuurlijk prachtig past bij zijn smalle gezicht, zijn blauwe ogen en zijn keurige blonde haar. Van zijn ouders moet Eugene niet alleen leren golfen, ze hebben hem ook naar een hockeyclub gestuurd én hij moet naar pianoles. Bij Eugene thuis zijn ze rijk. En niet zo'n beetje ook, zeg maar gerust stinkend rijk. Hij krijgt van alles: een televisie met dvd-speler, een hele verzameling dvd's, een ontzettend coole mountainbike, een digitale camera, een peperdure mobiel met abonnement, een zwembad met duikplank in de achtertuin en nog veel meer. Eugene is vaak alleen thuis – het liefst ligt hij dan lui op zijn bed tv te kijken. De hele dag, als het kan. Eugene neemt eigenlijk nooit iemand mee naar huis – dat vinden zijn ouders niet fijn. Tenzij ze ook golfen of bij de hockeyclub zitten, natuurlijk. Je bent een kakker of niet.

Sara is de derde en laatste. Ze is een razend slim meisje, dat zonder moeite geweldige cijfers haalt op school. Naar school gaan vindt ze dan ook helemaal niet vervelend en dát vinden heel veel meiden in de klas al behoorlijk stom. Nog stommer vinden ze het dat Sara niks geeft om meisjesdingen als kleren, make-up en sieraden. Misschien komt dat ooit wel, maar nu nog niet, in ieder geval. Ze lachen haar uit omdat ze best een beetje dik is. Sara houdt namelijk van lekkere dingen. Eigenlijk lust ze alles en eet ze ook alles, en dat is wel te zien. Zelf heeft ze er geen last van, totdat ze uitgescholden wordt. Dat, en haar koperkleurige krullen en haar sproeten, vindt ze helemáál niet leuk. Als ze niet zo dik zou zijn zou ze best heel graag gaan zwemmen, maar dan wordt ze weer gepest. Daarom zegt ze altijd dat ze niet van zwemmen houdt. Sara heeft drie zussen en een broertje. Ze houdt niet van tv-kijken, maar wel van lezen.

Alle drie zijn ze een beetje apart. Misschien is dat wel de reden waarom ze met elkaar optrekken. Ze kwamen tegelijk in groep 5, halverwege het schooljaar. Bob en Eugene waren nieuw in de wijk en Sara was van een andere school gekomen, dus vielen ze er vanaf het begin al een beetje buiten. Iedereen had vrienden en daar pasten een sukkel met een computertic, een kakker met een braaf kapsel die op golfles zit en een superslim dikkerdje niet bij. Toen Jan-Joost begon met zijn bolle-sukkel-kakkerclub, hadden ze hun bijnaam gekregen.

En zo werden Bob, Eugene en Sara een beetje vrienden van elkaar. Want als je nergens bij hoort, is het fijn als je iemand anders vindt die ook nergens bij hoort.

Toch?

In de kas

Meneer en mevrouw Levis stonden al te wachten op het pad van hun grote tuin toen klas 7B aan kwam fietsen. De kinderen zetten hun fietsen op slot en wachtten een beetje ongeduldig tot de meester zijn zegje had gedaan.

'We blijven overal van af,' begon hij, en Sara keek de twee anderen veelbetekenend aan. Daarna tikte ze een voor een op haar vingers en zei ze geluidloos precies wat de meester al drie keer had gezegd: 'We zijn netjes en beleefd. We willen geen lawaai horen. We houden ons aan de regels van de kas.' Bob grinnikte.

De meester draaide zich stralend om naar het echtpaar. Ze zagen er, op z'n zachtst gezegd, oud uit. Heel oud. Ze waren allebei zo krom als een hoepel, met gerimpelde, door de zon verweerde gezichten en dun, spierwit haar. De vrouw was erg mager. Hij schudde hen de hand en ze spraken even met elkaar.

'Familie van de bolle en de sukkel,' fluisterde Jan-Joost, net zo hard dat Sara en Bob het konden horen.

'Ha ha,' gromde Sara terug. 'En jij bent familie van een fruitvlieg. Die hebben ook wel een milligram hersenen.'

'Stil nu!' riep de meester tegen de roezemoezende kinderen. 'We volgen meneer Levis.'

Voor iemand van zijn leeftijd was meneer Levis behoorlijk kwiek. Hij liep langs de zijkant van het mooie, goed bijgehouden witte huis naar achteren en bracht hen naar de kas. Het glazen huis was veel groter dan Bob en de anderen zich hadden voorgesteld. Je kon er echt in rondlopen, er waren gangetjes en paden. Er hingen loopbruggen boven hun hoofden waar knotsen van kleurige bloemen in grote manden bloeiden. Overal stonden, hingen en kropen groene planten, er bloeiden opvallende bloemen en een bordje verwees naar GROENTE EN FRUIT, dat daar ook werd gekweekt. Het stond er werkelijk stampvol.

'Wat is het hier warm,' klaagde iemand, waarop meneer Levis zich naar haar omdraaide en vriendelijk knikte.

'Dat klopt, jongedame. Daar houden de planten van!' Hij wees naar opzij, naast een van de loopbruggen. 'Er zijn ook ramen hoor. Die gaan automatisch open als het te warm wordt, zodat er voldoende frisse lucht binnenkomt.'

Ze liepen verder achter hem aan. 'Als we in het hart van de kas komen, kunnen jullie naar hartenlust rondkijken en vragen stellen,' zei meneer Levis. Hij vertelde over de bloemen waar ze langs kwamen. Sommige kinderen deden of ze luisterden, maar de meeste keken een beetje verveeld om zich heen. Het was er warm en vochtig. Niet echt een uitje waar de klas zich op verheugd had. Bob probeerde niet te vallen omdat zijn bril besloeg en zag dat Eugene hetzelfde probleem had. Na een paar minuten trokken de wazige vlekken weg.

'Bob, Eus – kijk,' zei Sara zachtjes. 'Zie je dat?' Ze wees naar een grote bloem waar een piepklein beestje voor hing met trillende vleugels.

'Iek! Een superwesp!' gilde Annabel, die het ook gezien had. 'Sla 'm dood! Sla 'm dood!' Als een wilde begon ze om zich heen te slaan.

'Doe niet zo stom!' snauwde Sara en ze trok haar weg voordat ze het beestje zou raken. 'Dat is een kolibrie. De kleinste vogel die er bestaat. Weet je wel hoe bijzonder...'

'Ach ach, ze weet het weer eens beter hoor,' bitste Mira, die naast Annabel stond. Meteen siste ze erachteraan: 'Weet je ook wat over veelvraten? Ja, zeker.'

Sara klemde haar kaken op elkaar en Bob greep haar arm.

'Kom, laat ze maar. Ze kan het gewoon niet hebben dat je ze op hun nummer hebt gezet.'

'Denk erom, nergens aankomen en niets plukken,' begon de meester, maar meneer Levis schudde zijn hoofd.

'Nee nee, jongens. Jullie meester vergist zich. Wie wil mag uit de groente- en fruittuin iets meenemen. Kijk maar op de kaartjes die overal bij staan. Je mag allemaal één vrucht meenemen, behalve als erbij staat dat ze niet eetbaar zijn. Bijvoorbeeld bij siervruchten. Op de kaartjes kun je ook lezen wanneer ze rijp zijn. Eén ding, voor ieder één. Weet je het niet zeker, dan kun je het komen vragen.'

'Ik heb dorst,' fluisterde Bob tegen Sara en Eugene. Hij dacht niet dat de oude man het gehoord had, maar die draaide zich naar hem toe en wees op een hoek.

'Daar, op de tafel, staat drinken klaar. Het is warm in de kas, dus pak gerust een bekertje limonade als je dorst hebt.'

De meester knikte verheugd en kondigde aan dat ze rond mocht lopen. Ze moesten informatie verzamelen en tekeningen maken.

Bob draaide zich om in de hoop de anderen voor te zijn en struikelde meteen over zijn eigen voeten. Hij viel languit tussen de kweekbakken op de betonnen vloer, waarbij zijn bril van zijn gezicht schoot en tegen de grond kletste, tot grote hilariteit van de klas. Sara raapte hem snel op. Annabel, het meisje met wie ze net had staan kibbelen, lachte het hardst. Ze fluisterde achter haar hand tegen Mira, die krijsend begon te lachen. Jan-Joost kwam erbij staan, zei zachtjes iets tegen hen en daarna hadden ze met z'n drieën de grootste lol. Eugene trok Bob aan zijn arm overeind.

'Hé kakker, wat doe je toch bij die sukkel?' zei Jan-Joost met een brede grijns tegen Eugene. 'Och, ik weet het al... Eus de kneus. Je hoort er gewoon bij, stakker.'

'De kakker is een stakker,' gierde Annabel. 'Jan-Joost, je kunt dichten!'

'Weg hier,' zei Eugene en hij schoot een gangetje in. 'Stomme grieten. Rotzak,' mopperde hij binnensmonds.

'Waarom bijt je niet eens een keer terug?' vroeg Sara fel en ze duwde Bob zijn bril in handen. 'Laat je toch niet altijd zo afbekken.'

Eugene haalde zijn schouders op. 'Het maakt toch niks uit wat ik zeg,' zei hij vlak. 'Ze lachen me alleen maar uit. Soms is het slimmer om je mond te houden.'

'Soms is het slimmer om eens wat terug te zeggen!' riep Sara met fonkelende ogen. 'Je laat je gewoon voor gek zetten!'

'Hé, hou eens op! Die kolibrie – misschien kunnen we daar ons werkstuk wel over maken.' Bob had geen zin in ruzie en probeerde het gesprek een andere kant op te leiden. 'Zie je er nog meer, Saar?'

Eus glimlachte zuur en Sara zuchtte toegeeflijk. 'Dan hebben we wel iets aparts,' zei ze. 'Wist je dat een kolibrie een hele lang tong heeft? Daarmee haalt hij nectar uit het hart van een bloem. Wacht! Kijk... daar! Daar zie ik er nog een.' Ze draaide haar rug naar Eugene toe. 'Eus, pak die camera eens uit mijn rugzak... Vlug. Dan maken we een foto.'

Maar net toen ze wilde afdrukken, ging het piepkleine vogeltje ervandoor. Meteen gingen de drie erachteraan.

'Zo wordt het toch nog interessant,' mompelde Eugene, en Bob lachte. Met Sara hoefde je je nooit te vervelen, dat was waar. Hij moest toegeven dat het in de kas leuker was dan ze hadden gedacht. Ze kwamen bij een stuk waar vleesetende planten stonden en waar meneer Levis net een paar vliegjes uit een bakje losliet. Niet lang daarna kwamen de eerste vliegjes vast te zitten in de kleverige lokstof en begonnen de bladeren zich te sluiten. Bob vond het machtig om te zien. Er waren zelfs soorten die heel snel reageerden.

'Daar gaat er weer een,' wees Eugene toen ze opkeken van de venusvliegenvanger, zoals de vleesetende plant heette. Sara liep er op haar tenen achteraan.

'Wat hebben jullie gezien?' vroeg meneer Levis nieuwsgierig, waarop Bob uitlegde dat ze een kolibrie wilden fotograferen. Op zijn gezicht verscheen een glimlach, waardoor het nóg rimpeliger leek. 'Wie heeft je verteld dat dat een kolibrie is?'

'Dat weet Sara allemaal.' Bob knikte in de richting van het smalle gangpad waarin ze verdwenen was.

'Sara? Dat mollige meisje?'

'Met die bos krullen en die sproeten,' voegde Bob haast automatisch toe. 'Ze is echt heel slim.'

'Wat heb je daar aan je knie?' vroeg de oude man ineens.

Bob keek omlaag. Hij had niet eens gemerkt dat hij zijn knieën had geschaafd toen hij gevallen was. Zijn benen zaten onder de schrammen en hij had altijd wel ergens een beurse plek. 'Ik was degene die viel,' zei hij zuchtend.

'Doet het pijn? Moet ik een pleister halen?' bood meneer Levis aan, maar Bob schudde zijn hoofd.

'Nee hoor, dank u wel. Dat hoeft niet. Ik ben gewoon zo onhandig. Als de ene blauwe plek begint weg te trekken, komt er alweer een nieuwe voor in de plaats.' Hij haalde zijn schouders op, met zo'n gezicht van: ik kan er ook niks aan doen.

Meneer Levis gaf hem een papieren zakdoekje waarmee Bob het dunne streepje bloed wegveegde. 'Hoe vind je het hier?' vroeg hij toen. Toen Bob aarzelde en Eugene zoals wel vaker helemaal niets zei, glimlachte hij. 'Laat eens raden... je was zeker liever naar een pretpark gegaan?'

Bob kreeg een kleur, deed verlegen een stapje achteruit en hoorde meteen een scheurend geluid. Ach, verdikke! Hij was met zijn broekzak achter een spijker blijven haken en nu was de zak uitgescheurd.

Meneer Levis lachte zachtjes. 'Het was niet mijn bedoeling je te laten schrikken, hoor,' zei hij vriendelijk. 'Maar ik weet hoe jongens en meisjes van jouw leeftijd zijn.'

'Ik vond die vleesetende planten cool,' zei Eugene onverwachts.

Bob knikte. 'Het is anders dan ik had gedacht. Ik had er... ik had er eerlijk gezegd niet zo'n zin in, maar het is toch wel gaaf.'

Jan-Joost kwam opeens voorbijlopen uit een verderop gelegen gang. Hij zag Bob en Eugene met de oude man staan praten en liep proestend vlug verder.

'Vervelend ventje,' merkte meneer Levis op. 'Ik zag hem net ook al bezig. Een echte pestkop zeker?' Even bleven zijn bleke blauwe ogen op Eugene rusten, maar die tuurde het gangpad in en had niet in de gaten dat meneer Levis naar hem keek.

Bob haalde zijn schouders op. 'Ach...'

'Sara?' riep Eugene, maar ze kwam niet terug uit de gang waar ze in gelopen was.

Meneer Levis krabbelde peinzend aan zijn kin. 'Misschien moet je eens achter in de kas gaan kijken. Er is een gang met een rode streep op het beton geschilderd. Daar staan nogal wat zoete bloemen en daar komen de kolibries op af.'

Zonder nog verder iets te zeggen draaide hij zich weer om en boog zich over zijn geliefde planten. Eugene en Bob liepen het gangpad in.

'Waarom zei je dat nou, dat je er geen zin in had?' vroeg Eugene. 'Je hebt hem beledigd.'

'Vast niet,' zei Bob. 'Hij vond het wel grappig volgens mij. Balen, nou is mijn broek alwéér kapot.' Eugene keek alsof hem dat niet zou uitmaken. Nee, hij zou meteen een nieuwe broek krijgen, dacht Bob, maar mijn moeder naait hem voor de tiende keer weer vast.

Ze volgden het aangegeven pad en vonden helemaal achter in de kas inderdaad een pad met een rode streep op het beton. Ze gingen door een smalle doorgang waar plastic lamellen voor hingen en stonden plotseling in een kleine aanbouw. Het was er veel kleiner en lager dan in de grote kas. Bovendien was het er stil. Er waren geen andere kinderen.

'Sara?' riep Bob zachtjes. 'Ben je hier?'

'Ja! Kom eens kijken,' riep ze opgewonden terug.

Ze stond bij een kleine verhoging en wenkte ongeduldig naar de jongens.

'Wat is dat?' vroegen ze in koor. 'Zitten daar die kolibries?'

'Die kunnen toch niet door die deurflappen?' zei Bob, maar Eugene wees naar kleine gaatjes in enkele lamellen.

'Ze hebben privédeurtjes,' knikte hij.

'Kom nou!' wenkte Sara opgewonden.

Bob en Eugene kwamen dichterbij. Nu zagen ze pas echt goed waar Sara naar keek. Er stond een enorme blauwe bloempot midden op de verhoging. Lange, smalle groene bladeren staken uit de aarde omhoog. Die waren niet zo bijzonder. Maar daartussenin bloeiden werkelijk schitterende bloemen. Ze waren niet heel groot, maar ze hadden een prachtige kleur: rozerood, met een dieppaars hart. Aan de randen zaten gouden nerven en diep in de kelk glinsterden een stamper en meeldraden van dezelfde kleur. Een heerlijke geur, zacht en zoet als perziken, hing eromheen. Een paar vlinders fladderden rond, en kolibries haalden nectar uit het hart van de bloem. Een stuk of zes uitgebloeide bloemen hadden paarsrode vruchten gevormd die een beetje deden denken aan pruimen. Maar dan met gouden vlekjes erop, en dat hadden de pruimen thuis op de fruitschaal niet.

Bob moest toegeven dat zelfs hij het mooi vond. Er ging bijna iets magisch van de bloemen uit.

'Dit is een... Flora fortuna fallax, staat er op het kaartje,' vertelde Sara met glinsterende ogen. 'Geweldig, hè? En het ruikt zo lekker!'

'Afblijven!' klonk het opeens en uit het niets was de broodmagere mevrouw Levis verschenen. Ze had een vormloze jurk van dunne stof aan die om haar schrale lijf fladderde. Haar pluizige witte haren zaten weggestopt onder een vaal sjaaltje. Onder die rare jurk staken twee dunne beentjes uit. Ondanks de broeierige warmte in de kas droeg ze een zwarte legging. En dan een paar rare, ouderwetse rode schoenen. Op haar borst hing een bril aan een gouden kettinkje. Net als haar man had ze fletse blauwe ogen, maar bij haar stond daar ook nog eens een grote haakneus onder.

Een heks, was het eerste dat in Bob opkwam. Maar dat hield hij natuurlijk voor zich.

'Weet je wel wat dit is?' Haar stem was krakerig terwijl ze dichterbij kwam. 'Ja ja, ik zie het wel. Jij' – en ze knikte naar Sara – 'bent ook al in de ban van... Wacht eens.'

Ze stopte zo plotseling dat Bob ervan met zijn ogen knipperde. Haar ogen waren niet langer flets, maar opvallend helder en fel. Ze loerde naar Sara, en daarna naar Eugene en Bob en weer terug. 'Jij bent dat meisje van die kolibrie, hè?'

'Hè...' Sara was even uit het veld geslagen. 'Ja,' zei ze toen, 'ik zag er eentje.'

Mevrouw Levis knikte langzaam. 'Juist. Ik begrijp het.'

Wat ze begreep was niet duidelijk. Opeens draaide ze zich naar de jongens en zei scherp: 'Jullie mogen hier niet komen.'

'Zij wel dan?' vroeg Bob een beetje verbaasd, maar mevrouw Levis schudde haar hoofd.

'Niemand. Zij ook niet.'

'Waarom niet? Is er iets bijzonders met deze plant?' vroeg Sara nieuwsgierig.

'Dat gaat je niks aan, juffertje Eigenwijs,' antwoordde de vrouw pinnig. 'Deze planten moet je met rust laten. Dit gedeelte van de kas is niet toegankelijk voor jullie.'

Eugene wees naar Sara's fototoestel. 'Ze kwam alleen maar om een foto te maken.'

'Dan heb je pech gehad,' zei mevrouw Levis. 'Je mag hier niet fotograferen. En die plant al helemaal niet. Vooruit, uit de kas. Ga terug naar je klas.' En zonder verdere woorden schoof ze de drie de kleine kas uit.

'Nou ja, zeg,' zei Bob. 'Vriendelijk is anders. Die man is zo aardig, maar zij...'

Op Sara's gezicht kwam een geheimzinnige uitdrukking. 'Er was iets met de bloem. Die Flora fortuna, ik ben er zeker van. Ze werd meteen heel beschermend toen ik ernaar vroeg.'

Eugene trok een wenkbrauw op. 'Beschermend? Kribbig, zul je bedoelen. Ze leek wel een heks.'

'Dat vond ik ook,' bekende Bob. Sara broedde op een plan, dat had hij al vlug gezien. Als ze zo keek, wist hij dat ze liep na te denken. Hij kende haar goed genoeg om te weten dat ze niet zou rusten voor ze meer wist over die aparte plant met die bijzondere bloemen. Tussen haar wenkbrauwen stond een diepe rimpel en ze beet nadenkend op haar lip.

Opeens verdween die denkrimpel en lachte ze breed. 'Ik weet het,' knikte ze tevreden. 'Kom mee, boys.'

'Wat gaan we doen?' Gehoorzaam sjokten Eugene en Bob met haar mee door de broeierige kas. In de verte klonken stemmen en gelach van hun klasgenoten.

'We moeten die man vinden. Let maar op: straks weet ik precies waarom we daar niet mochten komen. En wat er voor geheimzinnigs aan die plant is.'

De mythe van het geluk

Meneer Levis zat op een klein krukje te midden van een hele verzameling vreemde dingetjes. Het waren net steentjes en tot Bobs verbazing bloeiden er hier en daar roze, rode, gele of oranje bloemen uit. Op zijn gemak bekeek meneer Levis een van de plantjes, verschoof liefdevol een paar kiezelsteentjes die op de aarde in het potje lagen en zette het plantje daarna weer terug.

'Het is maar waar je plezier in hebt,' zei Eugene binnensmonds.

'Het zijn net kiezels,' merkte Sara op, en meneer Levis had haar gehoord, want hij keek op en knikte.

'Grappig, hè? Dit worden levende steentjes genoemd. Ah, jij bent het. Het meisje van de kolibrie. Heb je nog een mooie foto kunnen maken?'

Op haar gemak ging Sara naast hem zitten, en bestudeerde op precies dezelfde manier als hij dat had gedaan een van de plantjes. Bob gaf Eugene ongezien een zachte por. Die knikte haast onzichtbaar en trok één mondhoek in een grijns. Ze zou het voor elkaar krijgen, dat was nu al duidelijk.

'Ja, hoor. Maar er vloog er eentje naar achter, in een apart gedeelte. Ik wist niet of ik daar mocht komen,' zei Sara overtuigend. Ze zette het plantje neer en veegde met haar arm over haar voorhoofd. 'Dus dat heb ik maar niet gedaan. Het is hier overal wel warm hoor. Is het daarachter nog warmer misschien?'

Meneer Levis leek even te aarzelen over een antwoord. 'Nee,' zei hij toen hoofdschuddend. 'Er staan daar planten die erg speciaal zijn, daar heeft de warmte verder niets mee te maken.'

‘Speciaal? Waarom zijn ze speciaal dan?’ Ze knipperde met haar ogen, een en al toneelspel.

Bob en Eugene kwamen er ook bij zitten. O, die Sara. Wat kon ze het toch goed brengen!

‘Je hebt planten die een geurstof afscheiden waarmee ze ons kunnen bedwelmen,’ zei meneer Levis. Sara haalde een rol pepermunt uit haar rugzak en deelde opgewekt uit.

‘Bedwelmen? Ha, ha. Planten? Lust u trouwens ook een pepermuntje? Planten kunnen je toch niet bedwelmen!’

‘Eigenlijk mag ik het niet,’ zei hij. ‘Snoepen is niet goed voor me.’

Sara giechelde. ‘Als u het niet verder vertelt, doen wij dat ook niet.’ De jongens knikten braaf.

Meneer Levis stak het pepermuntje in zijn mond en sabbelde er bedachtzaam op. Bob verslikte zich erin en begon krampachtig te hoesten, waarop Eugene hem op zijn rug klopte.

‘Wat ben ik toch een sufkop,’ piepte Bob.

‘Dat moet je niet zomaar zeggen,’ zei meneer Levis met een glimlach toen hij zag hoe Bob de tranen van het hoesten wegveegde. De meeste mensen lachten Bob uit om zijn onhandigheid maar deze man vond het blijkbaar niet stom. ‘Gaat het, jongeman? Of wil je een glas water?’

‘Nee, dank u,’ kraakte Bob tussen twee hoestbuien door, en hij pakte een flesje water dat hij bij zich had gestoken. ‘Het gaat wel.’

‘Och, ik snap wat u bedoelt!’ riep Sara opeens uit. ‘Rozen zijn natuurlijk ook bedwelmend. Vroeger maakten ze parfum toch van rozenblaadjes of zoiets?’

De oude man lachte. ‘Ik ben niet zo goed thuis in parfummetjes,’ bekende hij. ‘Maar er zijn nou eenmaal lokstoffen waar dieren op afkomen. Waarom zou je denken dat dat niet voor mensen geldt?’

'Ik heb op internet eens iets gelezen over een plant,' begon Sara en Bob wist dat ze met een slim omweggetje over die speciale bloemen zou beginnen, 'maar ik weet niet meer hoe die heet. Iets met fortus of flortus. Of flax of zoiets. Of was het nou...' Ze trok een diepe denkrimpel. 'Nou ja, maakt ook niet uit. Er stond dat de geur zo sterk was dat je er helemaal dol van werd. En hij was ook heel mooi. Hoe heette dat ding nou ook alweer... Ik zie de foto nóg voor me.'

Meneer Levis slikte het pepermuntje door. 'Hoe dacht je dat hij heette?'

'Iets met een hoop f'en... Flix, flax...' Ze schudde haar hoofd. 'Hoe dan ook, het was wel een hele mooie bloem. Paars en roze en rood, en de randen van de bladeren leken wel van goud.' Ze trok een peinzend gezicht. 'Ik wed dat daar ook kolibries in zitten.'

'Weet je zeker dat je een foto hebt gezien? Heb je misschien...' Levis aarzelde even. Zijn stem had een andere toon gekregen, een beetje opgewonden, hoewel hij zijn best deed om dat niet te laten merken. 'Heb je misschien een Flora fortuna fallax gezien?' Hij schudde lichtjes zijn hoofd en mompelde tegen zichzelf: 'Dat zou niet moeten kunnen, eigenlijk is het ongelooflijk... maar...'

'Ja!' knikte Sara vurig. 'Flora fortuna. Dat stond er. Is die zo bijzonder?' Ze deelde opnieuw pepermuntjes uit en ook de oude man stak er diep in gedachten eentje in zijn mond.

Een beetje afwezig knikte hij. Bob hield zijn adem in. Nu kwam het.

'Vertel eens,' zei Sara, 'ik ben dol op bijzondere dingen. Flores fortuna.'

'Flora fortuna,' verbeterde meneer Levis haar automatisch. 'Het is een mythe. Daarom verbaast het me dat je er iets van op internet hebt gevonden. Men zegt dat de vruchten van de Flora fortuna... geluk brengen.'

‘Wat?’ Het kwam uit drie monden tegelijk.

De oude man ademde een keer diep in en uit. ‘Ik hoor het niet te zeggen. Voor je het weet gebeuren er rare dingen. Maar zie je... jij hebt oog voor bijzondere dingen. Jij bent anders dan alle anderen hier. Ik denk niet dat veel kinderen weten wat een kolibrie is. En ik geloof al helemaal niet dat jouw klasgenoten weten dat een kolibrie met zijn tong nectar kan drinken.’ Hij praatte een beetje verward. ‘Jij kunt waarderen dat een plant te waardevol is om te plukken.’

Sara seinde geruisloos naar Bob en Eugene: zie je dat ik het voor mekaar krijg? ‘Kunt u wat meer vertellen over die mythe?’

‘Geluk zit in kleine dingen,’ zei meneer Levis raadselachtig. Zijn ogen hadden weer dezelfde waterige blik en met zijn gedachten leek hij mijlenver weg te zijn. ‘Geluk kun je niet afdwingen, niet zoeken, niet eten en niet plukken. De mythe is een leugen. Hij brengt mensen tot wanhoop – ze eten de vruchten en denken dat ze het geluk voor het oprapen hebben.’

Bob wilde iets zeggen, maar hield zich in. Zou meneer Levis eigenlijk wel in de gaten hebben dat hij en Eugene er ook nog bij zaten?

Sara ging verder. ‘Wat bedoelt u? Gebeurden er rare dingen, dan?’

Het antwoord dat meneer Levis gaf was nog vager dan vaag. Het leek wel of hij alleen maar herinneringen zat op te halen. ‘Het ís een geluksplant. Ongetwijfeld. Maar we willen allemaal het onmogelijke. Alles verandert. Niets blijft hetzelfde. We zijn niet meer tevreden.’

Eugene draaide onopvallend een kringetje voor zijn voorhoofd: kierewiet. Bob knikte en haalde zijn schouders op. Die ouwe man was wel aardig, maar hij begon te bazelen. ‘Heeft te veel in de kas gezeten,’ fluisterde hij tegen Eugene.

Sara was nog niet tevreden. 'Meneer Levis, is het echt waar? Kun je die vruchten eten? Hoe zit dat dan met dat geluk?'

In de verte klonk de stem van meester Frank. Ze moesten komen. Nu al? De tijd was omgevlogen!

Dat deed meneer Levis opschrikken. Verwilderd en verward schoten zijn ogen heen en weer. 'Wat zeg je? Wat?' Hij kwam overeind, sneller dan de kinderen voor mogelijk hadden gehouden. 'Jullie moeten dit vergeten, hoor je? Je mag er met niemand over praten.' Met trillende vingers haalde hij een zakdoek uit zijn broekzak en wiste zijn voorhoofd af. Bob wist dat het voorbij was. Meer zouden ze van hem niet te horen krijgen. Hij zag dat Sara en Eugene het ook in de gaten hadden. Ze stonden op.

Beleefd stak Sara haar hand uit. 'Dank u wel voor de uitleg. We zullen het goed onthouden.'

De kaseigenaar gaf haar een hand uit gewoonte, maar hij leek te veel te denken aan wat hij gezegd had en vergat iets terug te zeggen. Hij draaide zich om en schuifelde weg. Bob, Eugene en Sara bleven achter. De laatste keek de jongens met een tevreden grijns aan.

'Nou? Wat heb ik je gezegd? Een geluksplant, jongens.'

'Ik geloof er niks van,' zei Eugene. 'Dat bestaat toch helemaal niet.'

'Had je in de gaten dat hij helemaal afdwaalde?' zei ze gespannen.

Bob haalde zijn schouders op. 'Die man heeft ze niet meer alle vijf op een rijtje, hoor. Er was toch geen touw aan vast te knopen? Ik snapte er niks van. Op het laatst zat hij alleen nog maar te bazelen.'

Ze pakten hun spullen en zochten de weg terug naar de ingang van de grote kas. 'Het lijkt me anders heel duidelijk,' ging Sara verder. 'Die plant heeft bijzondere krachten. Je hoorde toch wat hij zei? Als je er zorgvuldig mee omgaat, heb je het geluk in handen.' Ze begon opeens te grinniken en wees naar Bobs broek. 'Jij kunt wel wat geluk gebruiken, of niet dan? Waar ben je nou weer in gaan zitten?'

Ah nee, hè? Niet weer! Ontzet probeerde Bob te zien wat er aan zijn achterwerk plakte. Hij zuchtte.

'Trek het je niet aan,' zei Eugene rustig. 'Het is maar zand.'

'Ik blijf wel achter je lopen,' stelde Sara voor, 'dan valt het niet op.'

Ja ja. Dat had ze gedacht. Het duurde precies twee minuten voordat Mira opeens begon te joelen dat Bob iets vies op zijn kont had. En het duurde nog een minuut voordat de hele klas stond te lachen.

'Doe normaal!' foeterde Sara nijdig. 'Als de meester erbij is, zijn jullie ook niet zo heldhaftig!'

Jan-Joost deed nog een duit in het zakje. 'Het is weer lachen, wat een geluk, wij hebben de echte bolle-sukkel-kakkerclub!'

Dat was meer dan genoeg voor één dag. Bob beende met grote passen langs hem heen, op de hielen gevolgd door Sara die woedend een vinger opstak naar Jan-Joost en zijn vriendjes, en daarna door Eugene, die helemaal niets zei.

'Je moet echt beter opletten,' zei Sara een beetje smekend toen ze eenmaal op de fiets terug zaten. 'Kijk nou toch eens een keer eerst waar je gaat zitten. Je broek is ook al kapot. Geef ze dan ook niet steeds een reden om je uit te lachen!'

Bob voelde de spieren in zijn kaken trekken van spanning. 'Ze lachen jou ook uit, hoor. En Eus net zo goed. Hij heeft gelijk. We zijn de kneuzen van de klas, en wat we ook doen, dat zal altijd zo blijven.'

'We zouden inderdaad wel wat geluk kunnen gebruiken,' merkte Eugene somber op. 'Het is een mooi verhaaltje, ook al is het onzin.' Afwezig plukte hij aan zijn dure babyblauwe merkshirt.

Sara werd aangestoken door hun stemming. Maar ze was

niet het type om te gaan zitten mokken. 'Ik ga thuis eens kijken of ik wat kan vinden over die plant,' zei ze na een tijdje.

Eugene schudde zijn hoofd. 'Je gelooft dat toch niet echt? Saar – van alle mensen zou *jij* toch beter moeten weten. Sinds wanneer kun je geluk eten uit een of andere vrucht?'

Ze haalde haar schouders op. Bob wist dat ze geen rust zou hebben voor ze van alles had uitgevonden over de plant die ze had gezien en over de mythe rond het geluk dat erbij hoorde.

'Wat denk jij ervan, Bob?'

'Het was toch een mythe?' Hij wist precies wat dat woord betekende omdat hij dat er voor een proefwerk in had gestampt: een mythe is een verzinsel dat voor waarheid wordt aangenomen.

'Misschien zit er wel een kern van waarheid in,' opperde Sara.

Pff. Een mythe. Dat was precies wat het was. Dat, en meer niet. Een verzonnen verhaaltje, dat altijd leuk was, en door de jaren heen steeds fantastischer was geworden.

'En een verzinsel, dat is het,' zei Eugene, onverstoorbaar als altijd. 'Geluk. Uit een plantje. Te maf voor woorden.'

Stel je toch eens voor...

Toch kon Bob niet stoppen met eraan te denken. Een geluksplant... Stel je voor dat zoiets werkelijk bestond! Misschien dat hij dan niet meer zo verschrikkelijk onhandig zou zijn. Al vanaf groep twee had hij een oogje op Vianne. Stel je toch eens voor dat hij niet meer zo'n kluns was. Dat hij gewoon iets tegen haar kon zeggen zonder dat stomme gestuntel!

Bob, doe niet zo achterlijk, zei hij streng tegen zichzelf. Als je het maar vaak genoeg tegen jezelf zegt, ga je het nog geloven ook! En toch... Wat nou als...

Toen ze diezelfde dag na school bij hem thuis in de schaduw in de tuin aan de cola zaten, zei Sara, met ogen die glommen: 'Zeg, die Flora fortuna, hè?'

Eugene rolde met zijn ogen. 'Begin je nou alweer?'

'Wat is daarmee?' Bob probeerde nonchalant te klinken. Hij wilde vooral niet laten merken dat het hem niet losliet en stiekem was hij blij dat Sara erover was begonnen.

'Misschien heeft het te maken met drugs. Er zijn toch ook planten waar je high van wordt? Waarom zou je er dan geen geluk uit kunnen halen?'

'Kan niet,' mompelde Eugene en hij kauwde op een ijsklontje. Bob keek haar aan. Sara dacht soms veel vlugger dan anderen.

'Wat bedoel je nou?'

'Ik heb laatst iets gelezen over pillen die mensen soms wel eens krijgen. Ze denken dat er iets in zit waar ze beter van worden, maar dat is niet zo. Juist omdat ze geloven dat het echt is, worden ze zelf beter.'

'Misschien heb je wel gelijk,' zei Bob langzaam. 'Dénken mensen die dat eten dat ze gelukkig zijn.'

'Daar heb ik wel eens wat van gezien op tv,' knikte Eugene. Natuurlijk. Zo veel als Sara wist uit boeken, zo veel wist Eugene van tv. 'Maar,' voegde hij eraan toe, 'dat is wel iets anders dan waar we het hier over hebben.'

'Waarom?' Sara begon op dreef te raken. 'Als je denkt dat je gelukkig wordt van zo'n vrucht, dan is dat toch hetzelfde effect? Wat nou als je het geluk zelf aantrekt, omdat je niet meer zo snel denkt dat het misgaat?'

Bobs gedachten dwaalden af. Als alles nou eens in zijn voordeel zou werken? Hij kon de keren niet tellen dat er iets gebeurde tijdens het sporten. De ene keer struikelde hij weer met hardlopen, dan kreeg hij een hap zand binnen met verspringen, een andere keer vloog de bal in de gracht... en zo kon hij nog wel een poosje doorgaan. Hij zuchtte diep. Het zou wel fijn zijn om normaal te kunnen zijn. Bob de sukkel, dat kende hij nou wel. Bob de sporter, dat klonk veel beter.

In Sara's ogen blonken pretlichtjes. 'Wat is er, Bobbie? Je ziet het al helemaal voor je, hè?'

'Helemaal niet!' riep Bob snel. 'Je denkt toch niet dat ik het geloof? Allemaal onzin.'

'Denk je dat? Volgens mij zou jij het liefst nu meteen teruggaan naar die kas en een stel van die vruchten gaan halen.' Ze keek hem uitdagend aan. 'Nou? Zeg dan dat het niet waar is!'

'Ach, hou toch op,' zei hij. 'Daar heb ik geen moment aan gedacht.'

Ze boog zich iets naar hem toe, zodat hij de spikkeltjes in haar groene ogen kon zien. 'O nee? Weet je dat zeker? Zou je niet heel graag een beetje geluk willen hebben? Zodat je misschien die leuke Vianne uit de andere groep om verkering kunt vragen?'

Bob werd tomatenrood en Eugene begon hartelijk te lachen.

'Of,' ging Sara genadeloos verder, 'een keer de blits maken

met gym? Het hoogste springen, het hardste gooien, het verste trappen, het winnende doelpunt maken? In plaats van de sukkel, eens een keer de held zijn?'

'Soms ben jij onuitstaanbaar!' snauwde Bob. Sara ging weer achteruit zitten met een zelfvoldaan lachje op haar gezicht. Ze had precies gezegd waar hij aan dacht, en ze wist dat zelf ook.

'Zullen we tv-kijken?' stelde Eugene voor. 'Zapsport komt zo.' Hij had geen zin in een discussie over wat Bob wel en niet allemaal wilde in het leven.

'Ugh,' zei Sara. 'Nee, ik ga naar huis. Ik ga hier geen tv liggen kijken, dank je de koekoek. Stompzinnig gedoe. Trouwens, ik moet naar de bieb, anders moet ik boete betalen.' Soepel kwam ze overeind, pakte haar tas en slingerde die over haar schouder. 'Nog iemand belangstelling voor de foto's? Van... de Flora fortuna, ook wel bekend als de geluksbloem?'

Met een ruk keek Bob haar aan. 'Heb je er een foto van genomen? Ik dacht dat die vrouw zei dat dat niet mocht.'

Sara grijnsde. 'Ik had er al een paar genomen voordat ze binnenkwam. Ik ga ze op de computer zetten en dan stuur ik ze wel door naar jullie hotmail.'

Bob voelde een vreemde spanning in zijn maag. Een foto. Ze had er een foto van!

Eugene knikte loom. Het zonlicht weerkaatste in zijn bril en deed zijn haren glanzen. 'Wanneer moet dat werkstuk ingeleverd worden? Had de meester daar iets over gezegd?'

'Moet ik hier dan alles onthouden? In de laatste schoolweek, Eus.'

En met die woorden zei Sara de jongens gedag en liep de tuin uit.

'Pft,' zei Eugene, 'het is dat we er ook nog een cijfer voor krijgen. Anders zou ik denken: bekijk het maar met dat werkstuk.'

‘Flora fortuna... Flora fortuna...’ mompelde Bob. Hij zat achter de computer en vulde bij het zoekprogramma de naam van de plant in. Eugene was vlak na Sara naar huis gegaan, en nadat Bob een kaaspannenkoek had gegeten bij zijn ouders in het restaurant, was hij gaan zoeken naar informatie.

Oeps. Een hele riedel tekst met het woord ‘Flora fortuna’ kwam voorbij. Het meeste stond in een taal die hij niet kende: Spaans, of Italiaans misschien. Toen hij klikte op ‘afbeeldingen’, kreeg hij tot zijn verrassing nogal wat plaatjes van insecten te zien. Er waren ook bloemen en planten, maar niets wat leek op de plant die hij gezien had in de kas.

Hm. Geen wonder dat meneer Levis zo verbaasd had opgekeken. Bob kon bijna alles opsporen op internet, en als hij alleen maar vliegende en kruipende beestjes vond, dan wás er hoogstwaarschijnlijk geen bloem die zo heette.

Hij probeerde een andere zoekmachine. Hetzelfde resultaat. Hij keek in een online encyclopedie en vond informatie over de losse woorden, maar niets wat bij elkaar hoorde. Verder dan dat kwam hij niet. Net toen hij zat te peinzen wat hij vervolgens zou gaan doen, hoorde hij het bekende geluidje van msn. Daar was Sara, ze meldde zich net aan. Zij had een leuke schermnaam, hij had zichzelf maar gewoon ‘Sukkelbob’ genoemd.

Sukkelbob: hoi.
Saratjuh: hoi. zo raar, dit moet je horen.
Sukkelbob: wat is raar?
Saratjuh: die foto's, hè? die zijn heel goed geworden, behalve...
Sukkelbob: ?
Saratjuh: behalve net die twee van die plant! zo gek! ze zijn helemaal zwart.
Sukkelbob: hoe kan dat nou? heb je niet geflitst?

Saratjuh: jawel! dat gaat automatisch. snap er niks van.
Sukkelbob: raar. zijn alle andere goed?
Saratjuh: yes. haarscherp. ik zeg je, er is iets raars met die bloem.

Bob dacht even na. Het was wel erg toevallig dat net de foto's van de Flora fortuna mislukt waren.

Sukkelbob: heb je nog meer foto's uit de kleine kas?
Saratjuh: ik weet al wat je gaat zeggen. die bloem is nergens op te zien. heb al gekeken.

Daar kwam Eugene ook op msn.

Sukkelbob: ha eus.
Saratjuh: hoi eus.
Eus: hallo. nog nieuws?

In een rap tempo typten Bob en Sara om de beurt stukjes waarin ze vertelden wat er aan de hand was. Eugene liet zoals gewoonlijk pas wat van zich horen toen ze helemaal klaar waren.

Eus: jullie zoeken er veel te veel achter.
Saratjuh: hè eus. doe niet zo saai!
Sukkelbob: vind je het niet verdacht?
Eus: nee. ze zijn gewoon mislukt.
Saratjuh: ik zeg het je. er is iets raars aan de hand.
Eus: wat heb je gevonden op internet?
Sukkelbob: niks. helemaal noppes. die bloem bestaat niet op internet.

Saratjuh: daarom is het ook raar. we hebben
hem gezien!
Eus: hebben jullie de tv aan? er is iets op
over het chinese voetbalteam.
Saratjuh: dûh. interessant.
Eus: ik moet toch wat. er is hier niemand.
Sukkelbob: waar zijn je ouders?
Eus: kweenie.
Saratjuh: je mag wel bij ons komen eten.
Eus: nee. we gaan dadelijk uit eten.
Saratjuh: waar? lekker friet eten?
Eus: sjieke zaak. met vrienden van mijn pa.
Sukkelbob: reuzegezellig zeker.
Eus: nou. reuze.

'Bob? Ben je boven?' kwam zijn moeders stem van beneden. 'Ik heb drinken ingeschonken!'

'Ja! Ik zit achter de pc. Ik kom eraan!' riep Bob terug.

Sukkelbob: ik moet gaan. CU!
Saratjuh: doeg!
Eus: dag.

Bob logde uit, zette de computer op stand-by en liep naar beneden. Zijn moeder had koffiegezet voor zichzelf en cola ingeschonken voor hem. Ze vroeg naar de excursie en hij vertelde over de vleesetende planten en de levende steentjes. Maar over de plant die geluk zou brengen, hield hij zijn mond. Ze was hartstikke lief, maar over het bestaan van geluksplanten zou ze wel een mening hebben die verdacht veel zou lijken op die van Eus: allemaal onzin...

Bob werd wakker in het holst van de nacht. De droom die hij had gehad was zo levensecht dat het even duurde voor hij begreep dat hij thuis in bed lag.

Maar het bestaat niet, dacht hij. Het kan toch gewoon niet?

Toch was zijn droom heel helder en duidelijk geweest. Hij zag zichzelf in het nieuwe schooljaar: gekozen worden bij gym, als aanvoerder; in groep acht, als klassenvertegenwoordiger; tijdens feestjes, als de populairste jongen... Knappe meisjes en stoere jongens hingen om hem heen en zochten zijn gezelschap... De meester kwam vragen of hij mee wilde doen aan een nationale televisiequiz voor leerlingen van groep acht... Vianne kwam vragen of hij verkering wilde... Hij kon ineens zo goed voetballen dat hij werd geselecteerd voor Jong Oranje... Het litteken op zijn wang vond iedereen zo cool dat sommigen het probeerden na te tekenen... En iedereen wilde zijn haren laten knippen zoals hij.

Steeds als het ene beeld vervaagde om plaats te maken voor het volgende, kwam eerst een ander moment tevoorschijn. Bob hield een vrucht vast, eivormig en niet veel groter dan een pruim. De vrucht was doorgesneden en net als bij een kiwi zag je de pitjes zitten. Deze lagen als kleine soldaatjes naast elkaar in het gelid. Bob zag zichzelf zo'n pit uit de vrucht pakken en er langzaam en genietend op kauwen. Het gevoel dat door hem heen ging, was dat van pure vreugde. In de spiegel zag hij een gezonde, sterke jongen met een levendige lach en stralende ogen. Zijn bril had hij niet meer nodig – hij kon uitstekend zien zonder.

Steeds als hij zo'n pitje had ingeslikt, zag hij het volgende succes. Waardoor hij wakker was geworden, wist hij niet meer, maar toen hij wakker was besefte hij dat hij zich gelukkig voelde.

'Hé, Sukkelbob – het was een droom,' zei hij hardop tegen zichzelf en hij ging overeind zitten. Hij nam een paar slokken

water uit het bekertje naast zijn bed. Dat maakte hem een beetje wakkerder.

Het was warm in de slaapkamer. Hij stapte uit bed en liep naar het raam om dat wat verder open te zetten. Niet dat het veel uitmaakte – het waren zwoele nachten, zo net voor de zomervakantie. Warme dagen zorgden ervoor dat het in huis ook warm was.

Een tijdje zat Bob op de vensterbank en keek naar buiten. De maan, een zilveren sikkel, straalde helder te midden van de vele sterren.

'Hoe kan dat nou?' mompelde hij. Hij praatte wel vaker tegen zichzelf. Het was soms net of hij beter zijn gedachten op orde kon krijgen als hij zichzelf hoorde. 'Die droom was zo echt – ik kon het zelfs ruiken. Die geur...' Hij snoof aan zijn handen en merkte tot zijn verbazing dat hij het zich niet verbeeldde. Hij rook het echt – het luchtje van de Flora fortuna zát aan zijn handen.

Hij draaide ze naar het licht van de maan en schrok zo erg toen hij een goudkleurig spoor op zijn vingers zag, dat hij achterover van de vensterbank viel en met een klap op het zeil van de vloer terechtkwam.

Dat was het moment waarop hij het besluit nam.

Hij ging terug naar de kas.

Bob de inbreker

'Het wordt vandaag nog heter dan gisteren,' zei Eugene in de pauze op school. Ze stonden met zijn drieën in de schaduw van een grote beukenboom op het schoolplein.

'We zouden kunnen gaan zwemmen,' stelde Sara weifelend voor. Bob wist dat ze wachtte totdat Eugene zou zeggen dat ze bij hem konden komen, maar dat was tegen beter weten in. Eugenes ouders vonden het zwembad 'geen openbare gelegenheid' en dus waren klasgenoten niet welkom.

'Wat doen we dan? Aquarecrea of het zwembad? Bob?'

'Eh...' Dat was niet de bedoeling. Bob had een plan, dat zowel simpel als slim was. Hij zou gewoon naar die meneer Levis toe gaan, zeggen dat hij zijn horloge in de kas was verloren en vragen of hij het mocht halen. Hij wist bijna zeker dat meneer Levis geen nee zou zeggen. Het enige waar hij zich een beetje zorgen over maakte, was mevrouw Levis. Die was al zo onvriendelijk geweest en hij vroeg zich af of zij er wel in zou trappen. Nou ja, hij zou wel wat verzinnen als zij de deur opendeed.

Dus moest hij nu iets bedenken. 'Nee. Ik moet... weg. Naar een... familiefeestje.'

'Vanmiddag?' vroeg Sara verbaasd.

'Eh... ja. Bij mijn neefje. Mijn kleine neefje van, eh... twee. Hij wordt drie.'

'Ik wist helemaal niet dat je een klein neefje had,' zei Sara. Zij was natuurlijk de eerste die in de gaten had dat hij iets van plan was, maar hij hield stug vol. Eugene trok een wenkbrauw op, die boven het montuur van zijn bril uitpiepte, toen Bob zei dat hij eigenlijk bijna nooit bij dat neefje kwam.

‘Toevallig,’ zei Eugene lijzig, ‘hoorde ik dat Vianne vanmiddag ook naar een feestje moet. Heeft het daar misschien iets mee te maken?’

Bob voelde zich vuurrood worden. ‘Helemaal niet!’

‘Dan gaan Eus en ik wel samen,’ zei Sara koeltjes. Ze snapte dat hij iets wilde doen waar ze niet bij gewenst waren en perste haar lippen op elkaar. ‘Flauw hoor,’ mompelde ze en ze draaide zich om. Even had Bob spijt en wilde hij zeggen wat hij van plan was, maar op dat moment ging de bel en riep de meester hen binnen. Daarna was er geen gelegenheid meer om iets te zeggen, en na school gingen Eus en Sara de ene kant op en Bob de andere. Hij liep snel naar huis, haalde zijn fiets uit de schuur, legde een briefje neer dat hij buiten was en reed weg.

Sneller en sneller pompte hij zijn benen rond, en hijgend van het harde trappen wiste hij met zijn mouw het zweet van zijn voorhoofd. Steeds hetzelfde kwam in hem op. Hij stond op het punt te gaan stelen. Hij had tegen zijn beste vrienden gelogen. Hij was een leugenaar en een dief. Bob, fluisterde een stemmetje in hem, doe het niet. Nu kun je nog terug. Maar even hardnekkig kwam een andere stem, die zei dat hij nu zijn kans moest grijpen. Dit zou hem nooit meer overkomen, dus nu was het moment. In zijn maag lag een knoop van de zenuwen en zijn benen leken wel van kauwgum.

Sneller dan hij eigenlijk wilde, stond hij opeens bij het witte huis van meneer en mevrouw Levis. Bonk-bonk-bonk, deed zijn hart.

De grote kas achter het huis schitterde in het felle zonlicht. Nu Bob hem beter bekeek, viel het hem pas op hoe hoog en groot het ding was. De halve school zou erin passen. Hij herinnerde zich zijn verbazing toen hij die de eerste keer had gezien. Overal bloeiden de planten en bloemen tot vlak onder het glazen dak. Om de kas heen stonden knotsen van zonnebloemen die meewiegden met de wind.

Met een ruk draaide Bob zich om naar het huis. Dat zag er stil en verlaten uit. De ramen waren dicht, de gordijnen gesloten. Misschien waren ze niet eens thuis!

Maar goed, als ze niet in het huis waren, konden ze altijd nog in de kas zitten, toch? Bob parkeerde zijn fiets een stukje verderop achter een dikke ligusterhaag. Als hij ervandoor moest, was het belangrijk dat niemand hem zou kunnen herkennen. Hoe minder ze van hem zagen, hoe beter.

Bob, fluisterde het stemmetje weer, luister eens naar jezelf! Je klinkt als een dief!

'Kan me niet schelen,' gromde Bob en daarmee verdween het stemmetje meteen. Snel en op zijn hoede liep hij naar het huis. Voordat iemand hem kon zien, was hij al via het kleine paadje aan de zijkant van het huis achterom gelopen. Hij keek naar binnen door het raam van de woonkamer – niemand te zien.

'Wat nu?' mompelde hij tegen zichzelf. 'Eerst kloppen?' Het zou heel raar zijn als hij in de kas meneer of mevrouw Levis tegenkwam. Maar ach, hij kon altijd zeggen dat hij voor aangebeld en geklopt had, en dat er niemand opendeed.

Bob, kwam die vervelende stem weer, je bent aan het inbreken! Doe het niet!

'Mooi wel,' bromde hij gespannen.

Ook na zijn korte tik op de ruit van de achterdeur was er geen leven te bekennen in het huis. Tien lange tellen bleef hij wachten – toen liep hij vlug naar de grote kas en duwde de klink omlaag.

Verdraaid! Die deur ging niet open! Hij zat op slot! Nog een keer probeerde hij het, maar hij zat potdicht.

Nijdig en teleurgesteld draaide Bob zich om. Daar had hij niet op gerekend. Wie deed er nou zijn kas op slot!

Ja, jongen, wat dacht je dan? Dat jij de enige bent die iets mee wil nemen... wat niet van jou is?

Dat was net het zetje dat Bob nodig had. Hij keek een keer om zich heen, zag niemand, en begon om de kas heen te lopen. Daarbij paste hij wel op waar hij zijn voeten neerzette – hij wilde niets kapot trappen. Op sommige plaatsen groeiden wingerd en klimop tegen het glas omhoog en aan de kant waar de zon het heetste was, groeide een enorme wijnrank, waar piepkleine druiven aan hingen. Binnen stond hier en daar een waas van vocht tegen de ruiten. Bob slikte. Hij had het erg warm en begon de moed een beetje te verliezen. Wat deed hij hier eigen...

Bats! Au! Daar lag hij, languit in de prikkels van een kleine, stekelige struik. Ieh! Die dingen staken. Au! Hij greep in besjes die blauwpaarse smurrie achterlieten op zijn handen en zijn kleren. Gets! Bob krabbelde overeind en rukte zich los uit de jeneverbes, die kleine stekelsplinters in zijn handpalmen achterliet. Vanuit het niks hoorde hij opeens Sara's stem weer... In plaats van de sukkel, eens een keer de held zijn...

Verbeten worstelde hij verder. Dit was nou precies de reden waarom hij hier was. Omdat hij het helemaal gehad had met zijn eigen gestuntel! Vastberaden bleef hij doorgaan. Toen zag hij, nauwelijks zichtbaar achter een grote Japanse kers, een raam op een kiertje openstaan. Voorzichtig stak hij zijn vingers in de kier en trok aan het raam, dat meteen een stuk verder openging. Daarna was het kinderspel. Eerst één been, daarna het andere en... hij was binnen!

Vrijwel onmiddellijk besloeg zijn bril en hij moest hem afzetten en schoonvegen. Terwijl hij wachtte totdat het glas niet meer besloeg, luisterde hij aandachtig of hij stemmen hoorde. Als er iemand binnen was, hadden ze hem zeker gehoord, want hij had best wat kabaal gemaakt. Maar het was rustig in de kas . Af en toe snorde er een vogeltje of een vlinder voorbij. Bob schrok toen hij een beweging zag vanuit zijn ooghoeken, maar toen hij een kat zag die lodderig opkeek bij zijn binnenkomst, moest hij lachen. Het beest lag te soezen op een zonnige plek en rekte zich lui uit.

Tot nu toe gaat het goed, dacht Bob. De stekeltjes van die rotstruik voelden vervelend aan in zijn handpalm. Maar nog even… en dan zou het voorbij zijn. Dan had hij geen last meer van zijn eigen stommiteiten!

De kat had zich omgedraaid en sliep weer verder. Bob kreeg steeds meer zelfvertrouwen. Achterin, bij de rode streep op de betonnen vloer, daar moest hij zijn.

Na tien minuten had hij de doorgang naar de kleine kas nog niet gevonden. Hij was wel bij een andere aanbouw gekomen, maar dat was de verkeerde. Dat viel tegen! De vorige keer was meneer Levis met hen meegelopen naar het hart van de kas en had gewezen waar ze heen moesten. Maar nu was hij natuurlijk heel ergens anders binnengekomen en moest hij eerst kijken waar hij zat. Hoe was het ook weer? Fruit en groente links, exotische bloemen rechts? Opeens zag hij aan een roestig spijkertje in een van de plantenbakken een stukje stof hangen. Ha! Het stukje dat van zijn broek was gescheurd. Hij zat goed.

Niet veel later vond hij de rode streep en opeens stond hij voor de plastic lamellen die de kleine kas met de Flora fortuna van de grote kas scheidden. Hij haalde diep adem en stapte naar binnen.

Fel zonlicht viel in opvallend lichte stralen op de Flora fortuna fallax, die vol in bloei stond. Wel twintig bloemen staken tussen de lange, smalle bladeren uit en verspreidden een heerlijke geur die in heel de kas te ruiken was. Bob ademde diep in. Dat was het! Dat was de geur die hij 's nachts geroken had, en waarom hij besloten had het te doen. Zijn ogen speurden de plant af naar de vruchten, maar in tegenstelling tot gisteren, toen er een stuk of zes, zeven aanhingen, was er nu maar eentje te zien.

Hij stapte de verhoging op, stak zijn hand uit en plukte de

vrucht. Op het moment dat zijn vingers zich eromheen sloten en hij met een zachte ruk de vrucht lostrok van de plant, voelde hij een golf van warmte door zich heen stromen.

Hebbes, dacht hij blij. Het is gelukt!

Vlug stapte hij van de verhoging af. Een straaltje zweet liep over zijn rug. Pff...

'Miwrriiewww.' Heel even schrok Bob toen hij twee lamellen hoorde klapperen maar toen voelde hij zachte haren en kopjes tegen zijn been. Dat was de kat, die nieuwsgierig kwam kijken wat er gebeurde. Bob bukte zich en krabbelde het beestje achter zijn oren.

'Zo, poes. Je liet me schrikken. Fijn hier, hè? En het ruikt zo lekker.'

'Miweiew,' deed de kat en hij liet zich aaien.

'Ik ga gauw. Ik hoor hier niet te zijn, poes.' Met de vrucht in zijn hand keek Bob nog een keer rond. Hoewel hij best zou willen blijven, wist hij dat hij weg moest. Als opeens die Levissen binnenkwamen, dan...

Dan niks.

Dacht Bob. Dan niks, want ik heb het geluk in mijn handen. Het komt allemaal in orde! Hij aaide de kat nog eens, liep naar de lamellen en liet ze klapperend op hun plek vallen. Naar buiten was heel wat makkelijker: hij deed een raam open, klom erdoor naar buiten en duwde het achter zich dicht. Van buiten kon je niet eens zien dat het niet op slot was. Hij had het warm van de vochtige hitte in de kas, maar dat deerde hem niet. Fluitend liep hij terug naar zijn fiets. Hij kwam niemand tegen, geen nieuwsgierige mensen die vroegen waar hij vandaan kwam en waarom hij er zo verhit en verfomfaaid uitzag.

Het was precies zoals hij wist dat het moest zijn.

Hij, Bob Smelink, Sukkelbob, superkluns, kneuskampioen, begon vandaag aan zijn nieuwe leven!

Niet goed genoeg

Na het eten ging Bob naar buiten om Sara te zoeken. Ze kwam er net aan toen hij de hoek omsloeg bij het pannenkoekenhuis.

'Hoe was je feestje?' Sara klonk nog nét niet bars. 'Was je er alleen naartoe?'

'Huh? Hoe kom je daarbij?'

'We zagen je fietsen, maar jij hoorde ons niet,' zei ze.

Bob keek haar aan. Hij lachte breed. Ha! Wat zou ze opkijken. 'Waar is Eus?'

'Thuis.'

'Ik heb wat te vertellen. Zullen we Eus eerst ophalen?'

Sara's koele houding veranderde op slag. 'Wat te vertellen?' echode ze.

Eigenlijk popelde Bob om haar alles te vertellen, maar hij wilde dat Eugene er ook bij was. Sara zou vast al honderd-eneen bezwaren opsommen voordat hij Eugene zelfs maar gezien had, en die kans wilde hij haar niet geven. Bovendien kon hij zo nog even langer genieten van het opgewonden gevoel dat door zijn lijf de gierde.

'Je hebt een geheim, hè?' Sara keek hem onderzoekend aan. 'Plies plies plies, mag ik het weten?'

'Nee,' zei Bob beslist. Hij was in zijn nopjes. Zachtjes neuriënd liep hij naast Sara, die hem scheef aankeek en mopperde dat hij óók onuitstaanbaar kon doen.

Ze stopten voor een hoog, witgeverfd gietijzeren hek met scherpe punten bovenop. Daarachter lag een lang pad met wit grind en aan weerszijden een pas gemaaid, frisgroen gazon. Roze en paarse rododendrons bloeiden in keurig geknipte struiken. Aan het eind van dat pad – de oprijlaan – lag een gigantisch wit huis dat er superchic uitzag.

'Huize Oomen, met uw welnemen, meneer,' zei Sara deftig en ze maakte een buiging voor Bob in de richting van de grote villa. Daarna drukte ze zwierig op de knop van de intercom.

Het leek wel of het zo uitgemikt was. Opeens begon het hek te bewegen en daarna schoof het geruisloos opzij. Een hele grote zwarte auto kwam knerpend over het grind aangereden. Daarachter reed een iets kleinere, zilverkleurige wagen.

'Ja?' Het raampje van de grote zwarte auto gleed een eindje naar beneden. Een klein stukje van een blond gekapt hoofd werd zichtbaar, daarna een donkere zonnebril en zorgvuldig oranje gestifte lippen. De vrouw keek hen niet aan, maar hield haar hoofd star in de rijrichting.

'Dag mevrouw,' zei Sara beleefd. 'We komen voor Eus. Eugene, bedoel ik.'

'O? En wie zijn "we"?' zei de vrouw.

'Wij zijn vrienden van Eugene. U kent ons toch wel? We lopen altijd met Eus naar school.' Sara trok een wenkbrauw op.

'Vrinden? Mijn zoons vrinden zitten op de golfclub, kind. Wil je alsjeblieft opzij gaan?'

'Wij zijn het, mevrouw Oomen. Bob Smelink en Sara Pluim,' zei Bob snel. Het raampje gleed wat verder open en langzaam draaide het gezicht naar hen toe.

'Ach, ja. Bob. Nu zie ik het. En Sara.' Ze kneep haar sinaasappellippen samen. 'Eugene heeft het druk. Hij kan niet met jullie mee.'

'Lieve...' Een mannenstem golfde uit de auto en Bob zag een mannenhand met een grote gouden zegelring. Eugenes vader. 'We moeten gaan.' De wagen begon een paar centimeter naar voren te glijden.

'Maar...' zei Sara.

'Tot ziens.'

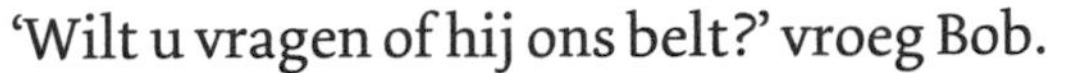

'Wilt u vragen of hij ons belt?' vroeg Bob.

Opeens stak Eugenes moeder haar gezicht wat verder naar voren. Ze zette haar donkere zonnebril af en keek hem met koele, blauwe ogen aan. 'Luister eens... Bob, was het toch? Eugene is een tikkeltje te hoog gegrepen voor jou.' Haar blik gleed van zijn piekhaar langs zijn brilletje tot aan zijn afgetrapte gympen. Toen knikte ze naar Sara zonder te knipperen en zei: 'Je kunt vast wel iemand vinden uit je eigen buurt.'

'Wat?' Sara viel bijna achterover.

'Het spijt me, maar misschien kunnen jullie beter vrindjes zoeken van eigen allooi.' Het raampje gleed dicht en de chauffeur gaf gas, op de voet gevolgd door de zilvergrijze auto. Bob trok Sara opzij.

'Dáár,' wees Bob, 'daar heb je Eus! Eus! Eus!'

Maar Eugene, die op de achterbank zat, keek televisie in de auto en zag hen niet. Hij had zijn koptelefoon op en merkte niets van wat er bij de auto van zijn ouders aan de hand was.

'Hij ziet ons niet!' riep Sara. Bijna sprong ze naar voren om de auto tegen te houden, maar Bob greep haar vast voordat ze zich zou bezeren. De zilveren auto reed snel weg van de grote witte villa en liet een totaal verbijsterde Sara en Bob achter.

'Wat een rotmens! Wat een rótmens!' brieste Sara met trillende stem. In haar ogen blonken tranen. 'Wat een... wat een... rotmens!'

Bob, die eigenlijk te verbluft was om wat te zeggen, keek in de richting waarin de auto met Eugene verdwenen was.

'Wat was dat nou?' zei hij langzaam toen hij zijn tong weer terugvond. 'Waar kwam dat opeens vandaan?'

Te midden van haar sproeten zag Sara bleek van boosheid. 'Ze vindt me niet goed genoeg. En weet je waarom? Omdat ik lelijk ben met mijn stomme haar en die lelijke sproeten. En te dik.'

'Doe niet zo raar,' zei Bob.

'Ze krijgt natuurlijk alleen maar van die broodmagere bekakte eikels in die boetiek van d'r.'

'Boetiek?'

Sara trapte boos tegen een paar steentjes die op de stoep lagen en veegde driftig een keer over haar ogen. Daarna stak ze haar handen in haar zakken en samen liepen ze weg van de villa.

'Wist je dat niet?' zei Sara. 'Ze heeft zo'n zaak in de stad, met van die tutkleren voor tuttebellen die getrouwd zijn met kakmeneren, en die kakkinderen hebben. Geen wonder dat Eus zulke stomme kleren draagt.'

'Daar kan Eus toch niks aan doen,' protesteerde Bob. 'Het is al erg zat als je moeder zo is.' Toen pas drong het echt tot hem door wat Sara gezegd had. 'Hoe weet je dat eigenlijk, van die boetiek?'

'Mijn moeder heeft het wel eens verteld,' antwoordde ze.

'Wat heeft jouw moeder met die van Eus te maken? Koopt ze daar soms ook kleren?'

Uitdagend zette Sara haar handen in haar zij. 'Weet ik veel! En wat dan nog? Mag ze daar niet naar binnen omdat ze altijd zelf haar kleren maakt, omdat ze dik is of omdat ze niet getrouwd is met mijn vader?'

'Ho!' Bob stak zijn handen afwerend op. 'Rustig maar. Ik vind het gewoon opvallend, dat is alles. Jouw moeder is hartstikke leuk en die zie ik helemaal niet in zo'n kakwinkel naar binnen gaan.'

Sara was ondertussen van bleek naar rood verkleurd. Ze haalde haar schouders op. 'Ik heb zin in een ijsje. Er ligt thuis nog ijs in de vriezer. Ga je mee?'

Bob knikte. De avond was nu al anders verlopen dan hij had gedacht en om buiten te blijven hangen, daar had hij opeens ook geen zin meer in. Ze praatten samen over Eugene en zijn familie terwijl ze naar het huis van Sara liepen.

'Zag je trouwens hoe ze weggingen? Pappie en mammie in de voorste auto, en Eus in de auto daarachter. Belachelijk. Als wij ergens heen gaan, zit onze ouwe Volvo helemaal volgepropt,' zei Sara.

'Dat Eus niks merkte. Hij zat alleen maar naar die tv te kijken.'

'Hij kijkt altijd tv,' zei ze. 'Je kunt een kanon naast hem afschieten en dan merkt hij het nog niet.'

Even later waren ze bij het gezellige huis waar Sara met haar ouders en haar zussen en broer woonde.

'Hallo Bob, dag Saar,' begroette haar moeder de twee toen ze binnenkwamen. Bij het zien van de sombere gezichten vroeg ze: 'Onweer op komst, jongens?'

'Dag mevrouw Pluim,' knikte Bob. Hij kwam graag bij Sara thuis. Sara's moeder stond bij het aanrecht aardappels te schillen en mikte ze van een afstand in een bak met water, waardoor de druppels door de keuken vlogen. Ze lachte erbij. Ze was altijd aan het rommelen in de keuken en ze stond ook voortdurend ervan te snoepen, met een brede lach op haar bolle gezicht.

'We gingen Eus halen, en toen werden we tegengehouden door zijn moeder. Wat een verschrikkelijk stom truttig rottig truttig vervelend kakke...'

'Ja ja, het is nu wel duidelijk,' onderbrak mevrouw Pluim haar kalm. 'Wat gebeurde er dan?'

Sara vertelde, geholpen door Bob, haar versie van het verhaal. Maar tot Bobs verbazing bleef mevrouw Pluim onbewogen.

'Domme mensen. Teken van zwakheid! Zo, en nu wil ik er niks meer over horen. Lusten jullie een stukje abrikozentaart?'

Op dat moment kwam Sara's vader binnen, een grote man met hetzelfde rode krullende haar als zij en een bulderende lach. Hij had een smerige werkbroek aan en trok een van zijn bretels omhoog, die meteen weer afzakte.

'Ja, lekker!' zei hij bij het horen van het woord abrikozentaart. 'Dat lust ik ook wel. De auto doet het weer, gelukkig. Hoi, Saartje. Ha, die Bob. Alles goed, jongens?'

Het leek wel of de abrikozentaart het hele gezin naar de keuken lokte. Plotseling stond het er vol, kroop een klein ventje bij Sara op schoot en iedereen kwebbelde en lachte door elkaar.

'Waarom ben je nu al aardappels aan het schillen?' vroeg Sara's vader.

'Morgen komen er wat mensen van school eten,' legde mevrouw Pluim uit. 'Ik ben maar vast begonnen met voorbereiden.'

'Wat mensen? Hoeveel is "wat"?'

'Eh... dertien, geloof ik. Of twaalf, dat kan ook. Maakt niet uit. Is toch gezellig?'

Bob keek met een warm gevoel om zich heen. In dit huis was iedereen altijd welkom. Hij snapte niks van die moeder van Eugene. Sara was toch ook hartstikke leuk? Waarom zou ze niet goed genoeg zijn voor Eugene? Hij zag Sara's vader naar hem kijken – hij had het hele verhaal ondertussen ook al gehoord.

'Weet je, Bob,' zei hij met zijn diepe stem, 'zo moet jij ook denken. Het is niet de moeite waard om je er kwaad over te maken. Die chique madam kan wel proberen om Eus bij je weg te houden, maar als hij met jou en Sara wil optrekken, houdt ze hem toch niet tegen.'

Toen hij later naar huis ging en Sara met hem meeliep naar de voordeur, schoot haar opeens iets te binnen.

'Jij had toch iets te vertellen? Wat was het dan? Door die toestand met Eus heb ik er niet meer aan gedacht.'

O ja. De Flora fortuna-vrucht... Helemaal uit zijn gedachten weggedrukt door die rotopmerkingen van Eugenes moeder. Hij dacht aan het ding dat hij weggelegd had in zijn nachtkastje. Het leek nu ineens heel onecht en snel verzon hij iets. 'Eh... ach, het was niet zo belangrijk.'

'Echt niet?'

'Nee,' zei Bob. 'Ik wilde alleen maar zeggen dat ik een nieuw computerspel had, maar ja... dat is toch niet meer zo interessant.'

Sara haalde haar schouders op. 'Maakt niet uit.'

'Wat doen we maandag? Halen we Eus nou wel of niet op?' vroeg Bob.

'Ik druk daar niet meer op de bel. Van je lang zal ze leven niet.'

'Ik haal je maandagmorgen op en dan zien we wel wat we doen,' zei Bob en daarmee gingen ze uit elkaar. 'Msn'en we nog?'

'Tuurlijk. Tot msn.'

Eenmaal thuis ging Bob snel naar zijn kamer. Opeens voelde hij de opwinding van die middag weer. Hoe had hij ooit kunnen denken dat hij problemen zou krijgen door het plukken van de Flora fortuna-vrucht! Het dingetje lag in een plastic doosje en dat was alles. Niemand die hem achternakwam, geen boze woorden, hij voelde zich zelfs niet eens schuldig.

Nou ja.

Een klein beetje dan.

Maar niet heel erg. Niet zo erg als hij verwacht had. Als hij er niet te veel aan probeerde te denken dat hij eigenlijk ingebroken en gestolen had, voelde hij zich bijna niet schuldig.

Je hebt ergens ingebroken, Smelink, klonk het in zijn binnenste.

Ach, dat stelde niks voor.

O nee? Je bent een dief, weet je dat wel? De stem van zijn geweten was nogal een volhouder.

Wat maakt die ene vrucht nou uit? Die zullen ze echt niet missen.

Pas jij maar op, zei het stemmetje. Pas jij maar op.

Een nieuw meisje

'Bob... Bob! BOB!'

Moeizaam werd Bob wakker en zag zijn moeder wazig boven zich.

'Jongen, wat lig je nou nog te slapen? Het is al tijd, Sara staat beneden. Je hebt je verslapen!' Ze trok het laken van hem af en joeg hem naar de badkamer. 'Vlug, ga je gauw even opfrissen, dan smeer ik wel een boterham. Die moet je dan onderweg naar school maar opeten.'

Bob stommelde naar de badkamer en plensde een paar handen koud water in zijn gezicht. Hè hè! Daar werd hij tenminste wakker van. Tjonge, wat had hij vast geslapen. Hij was echt helemaal van de wereld geweest.

In de spiegel keek zijn spiegelbeeld hem lodderig aan. Hij zette zijn bril op en zag zichzelf. Snel trok hij een kam door zijn haar, dat...

Hè?

... dat zacht en soepel in model viel. En... en wat zag hij er anders uit! Hij had geen pafferige slaapogen, hij zag er juist heel wakker en fris uit. De velletjes van de zonnebrand op zijn neus waren weg. In plaats daarvan had hij een gezonde, lichtgebruinde tint. Vlug poetste hij zijn tanden en de lach die hij daarna van zichzelf kreeg, verbaasde hem.

Leek het nou maar zo, of was het echt? Hij was niet langer een flets, onopvallend knulletje. Daar stond een jongen die er wezen mocht. Meteen dacht hij aan gisteravond...

Nadenkend had hij op zijn lip staan bijten, kijkend naar de vrucht terwijl hij zich afvroeg wat hij ermee moest doen. Hij herinnerde zich hoe hij er in zijn droom een pitje van at. Dat

leek dan ook het meest logische. Hij was naar beneden gelopen, haalde een mesje uit de keukenla en ging terug naar zijn kamer. Op elke andere dag zou hij hoogstwaarschijnlijk flink in zijn vinger gesneden hebben. Maar hij was aan zijn bureau gaan zitten, legde de vrucht op het omgekeerde plastic dekseltje en sneed hem na een korte aarzeling doormidden.

De ondertussen bekende zoete geur was omhoog komen kringelen en kriebelde in zijn neus. Heerlijk had hij dat gevonden! Alsof je het geluk zo in kon ademen! Onderzoekend keek hij naar de binnenkant van de vrucht. Het vruchtvlees was lilarood. In een perfect rondje lagen zes pitten, blank als licht hout. Er was wat sap op zijn vinger gedrupt. Zonder nadenken likte Bob het af. Mmm. Verrukkelijk! Zo zoet! Voorzichtig wipte hij met het mesje een pit uit de vrucht en stak die in zijn mond. Hij smaakte als een nootje. Daarna had hij de twee helften teruggestopt in het doosje en drukte het deksel er stevig op. Het doosje ging weer in zijn nachtkastje.

Hij had zichzelf aangekeken in de spiegel en was daarna naar bed gegaan met een verwachtingsvol gevoel. Zou hij iets zien of voelen als hij morgenochtend wakker werd...?

Was dit het eerste merkbare resultaat? Zeker weten! Bob voelde zich fit en energiek. Met twee treden tegelijk nam hij de trap naar beneden – zonder te struikelen. Sara stond in de kamer en kletste met zijn vader, terwijl zijn moeder twee sneetjes brood in een plastic zakje stopte.

'Zo, slaapkop,' zei zijn vader met een brede lach. 'Dat was

maar net op tijd. Te lang zitten computeren gisterenavond, zeker? Hé... Heb je iets met je haar gedaan?'

Bob schudde zijn hoofd, pakte de boterhammen van zijn moeder aan en liep met Sara de deur uit.

'Je vader heeft gelijk,' zei Sara en ze keek hem van opzij aan. 'Ik zie ook iets aan je. Je haar zit anders. Of zoiets.'

Bob grijnsde. Zou hij het vertellen? Maar Sara was in een praatbui en er was geen speld tussen te krijgen.

'Ik kwam langs de straat van Eus gelopen,' zei ze. 'Hij stond nog niet buiten en ik had geen zin om aan te bellen. Omdat jij niet kwam, ben ik daarom eerst naar jullie huis gegaan. Wat vind je dat we moeten doen? Met Eus bedoel ik.'

'Heb je hem nog gesproken op msn van het weekend?'

'Nee,' zei Sara hoofdschuddend, 'maar dat kon ook niet, want we zijn de hele zondag weg geweest. Mijn oma werd 75 en we hadden een groot feest. Dus ik was gisterenavond pas weer thuis en aan de computer, maar Eus was niet op msn.'

'Ik ook niet.' Bob dacht aan zijn computer. 'Internet lag er gisteren steeds uit en ik kon niet op msn. En zaterdag zit Eus niet vaak op de computer, want dan moet-ie toch golfen en naar pianoles en zo. Heb je hem niet gebeld?'

'Ja, en dan zeker die fijne moeder van hem aan de lijn krijgen? Dank je feestelijk!'

Sara tilde haar haren op en liet de wind langs haar nek spelen. 'Pff, wat is het alweer warm. Weet je wat ik denk? Ik geloof dat Eus ons wel heeft gezien, maar dat hij gewoon niet wilde kijken.'

Bob dacht daar even over na. 'Dat weet ik niet, hoor. Je weet hoe hij is. Net Mike TV uit Sjakie en de chocoladefabriek. Als de tv aanstaat, merkt hij niks meer van de rest van de wereld.'

'Onzin,' zei Sara, niet overtuigd. 'Zou jij het niet merken als tien meter voor je twee klasgenoten stonden? En nota bene probeerden om je aandacht te trekken?'

‘Eerlijk gezegd, als mijn ouders zo zouden doen, zou ik misschien ook niet willen kijken,’ bracht Bob ertegen in.

Daar moest Sara hem gelijk in geven, ook al verklaarde ze zelf plechtig dat ze haar vrienden nooit zou laten afkatten door haar moeder.

‘Tja...’ Bob dacht even na. ‘Misschien moeten we maar gewoon even afwachten.’ Stiekem hoopte hij dat Eus zich gewoon zou gedragen alsof er niets gebeurd was. Misschien zou Sara zich dan ook niet zo druk maken.

Maar Eus kwam niet in de klas en een beetje bezorgd keken Bob en Sara elkaar aan. De plaats naast Bob bleef leeg. Toen ze net met rekenen bezig waren, ging de deur open. Daar is-ie, dacht Bob en zijn blik schoot omhoog. Meteen keek hij in het gezicht van het liefste, knapste en mooiste meisje dat hij ooit gezien had. Dat de directeur van de school naast haar stond, met zo te zien de vader van het meisje, viel hem nauwelijks op.

‘Ah! Daar hebben we Elise. Dag Elise! Welkom in groep 7B.’ Meester Frank kwam overeind, gaf de vader een hand en na een vriendelijk lachje nam de directeur hem weer mee en bleef het meisje in de klas achter.

‘Jongens,’ zei de meester, ‘dit is Elise van der Toren. Ze is jullie nieuwe klasgenoot.’

Nu nog? Bob was verbaasd. Nog maar een paar weken, dan was het al zomervakantie. Het was of de meester hem gehoord had.

‘Elise is hier net komen wonen. Naar haar oude school kan ze niet meer, want dat is te ver weg. Daarom komt ze nog net voor de vakantie. Kan ze mooi zien wat voor een apenkoppies hier in de klas zitten!’ De meester lachte breed en gaf Elise een olijke knipoog. Een luid gejoel ging op vanuit de klas.

‘Zie je, Elise? Wat een oerwoudgeluiden ze hier kunnen maken?’

Ze keek verlegen naar opzij en toen ze weer opkeek, viel haar blik precies in de ogen van Bob.

'Ga daar maar zitten,' knikte de meester en hij wees naar de lege plaats naast Bob. 'Eugene, die daar normaal zit, komt vandaag niet. Morgen zullen we er een tafel en stoel bij zetten.'

'Meester, is Eus ziek?' vroeg Sara snel. Het zat haar ook niet lekker, merkte Bob. Maar tot zijn opluchting schudde de meester zijn hoofd en vertelde dat Eugene naar een bruiloft was.

'Wat raar,' fluisterde Sara, die aan de andere kant van Bob zat. 'Op maandag? Daar heeft hij helemaal niks van gezegd.'

'Je zoekt er te veel achter,' mompelde Bob terug. Hij draaide zich naar Elise. 'Hoi. Ik ben Bob. Dat is Sara.' Geweldig, hoe goed hij zich voelde. Zelfverzekerd lachte hij naar haar. 'We zijn net met rekenen begonnen, dat is dit boek.' Hij liet de kaft van zijn boek zien en Elise dook in het kastje van Eugene en pakte hetzelfde boek. Ze glimlachte dankbaar en de meester ging weer verder met de les.

Dromerig keek Bob steeds weer opzij. Wat een mooi meisje... Ze had een heel fijn gezichtje, als een pop, met roze lippen, donkere, grote ogen en kort bruin haar. Af en toe draaide ze gedachteloos aan een oorbelletje en als ze zat te schrijven, deed ze dat met het puntje van haar tong uit haar mond. Bob kon zijn ogen bijna niet van haar afhouden. Haar stem was zacht en klonk heel lief toen ze vroeg of ze zijn liniaal mocht gebruiken.

Hoewel Bob in de pauze bij Elise in de buurt wilde blijven, moest hij het bord schoonvegen en tegen de tijd dat hij buiten was stond Jan-Joost al bij Elise, met Annabel en Mira.

'Vraag maar of je morgen bij ons mag zitten,' hoorde Bob zeggen. Jan-Joost trok heel duidelijk zijn neus op. 'Je kunt beter niet gezien worden met die kneuzen van de bolle-sukkelkakkerclub.'

'Wie...' begon Elise. Annabel gaf antwoord voordat ze zelfs maar twee woorden had kunnen zeggen.

'Die dikke Sara, dat is echt een trut. En Sukkelbob, daar wil je niet bij in de buurt zijn. Alles wat hij doet, is een ramp. Om het over Eugene nog maar helemaal niet te hebben. Je zit nou op zijn plaats. Dat is zo'n kakker, afschuwelijk! Daarom zijn ze de bolle-sukkel-kakkerclub, snap je?' Ze lachte kirrend en Mira, naast haar, deed mee. Jan-Joost knikte tevreden, Annabel had precies gezegd wat hij van plan was.

Bob hield zich stil. Jan-Joost had niet gemerkt dat hij bij hem was komen staan. Waar was Sara eigenlijk?

'Ik weet niet of...' begon Elise aarzelend. 'O. Hallo, Bob.'

'Hé, Bob. Ook hier? Vangen,' zei Jan-Joost luchtigjes en hij gooide een tennisbal die hij bij zich had, over zijn schouder.

Dit keer zal het je niet lukken, dacht Bob grimmig. Hij wist precies wat zijn aartsvijand van plan was – normaal gesproken zou hij languit over het schoolplein vallen, of de bal in zijn gezicht krijgen of zoiets. Maar nu niet. Hij plukte hem uit de lucht en gooide hem een paar keer losjes omhoog.

'Zei je wat, Jan-Joost?'

'Ik vertelde Elise net dat jij nogal onhandig bent,' kaatste die zonder blikken of blozen terug.

Het nieuwe meisje wist niet goed hoe ze moest kijken. Haar ogen flitsten heen en weer tussen Jan-Joost en Bob. Die voelde zich merkwaardig sterk. Gewoonlijk droop hij af als een geslagen hond en begon hij te stotteren en te stamelen als Jan-Joost zo deed, maar nu was hij heel kalm.

'Hier is je tennisbal, J-J,' zei hij en hij gooide het balletje terug.

'Let op, Elise.' Jan-Joost keek haar met glimmende ogen aan. 'Vanaf hier in de basket.' Hij wees naar de paal met de basketbalhoepel die halverwege het schoolplein stond. 'Eén, twee... en...' De tennisbal zeilde door de lucht en schoot keurig door de hoepel. Een jongen ving de bal op en gooide hem terug.

'Als Sukkelbob dat doet,' knikte Jan-Joost gewichtig, 'gaat

het a: mis, b: fout en c: gaat er iets kapot.'

Annabel en Mira giebelden en knikten. 'Hij valt. Scheurt uit zijn broek.'

Elise deed een stap opzij. Ze vond die twee meisjes in ieder geval niet leuk, dat zag Bob wel.

Denk aan je geluk, dacht hij, laat je niet gek maken. 'O ja? Geef maar eens hier,' zei hij en hij pakte de tennisbal uit de handen van Jan-Joost voordat die tijd had om te reageren. Hij gooide, met een stevige, doelbewuste worp en de tennisbal vloog opnieuw het schoolplein over.

'Let op!' riep Jan-Joost, zodat iedereen die in de buurt stond het kon horen. 'Allemaal bukken. Sukkelbob aan de bal.'

Maar anders dan verwacht vloog de tennisbal in een strakke baan precies de hoepel door, kaatste eenmaal tegen de schoolmuur en stuiterde daarna terug om te eindigen in Bobs handen.

'Zei je wat?' herhaalde Bob en hij hield de bal losjes vast. 'Elise, je moet het natuurlijk zelf weten, maar heb je misschien zin om met mij ergens ánders te gaan staan?' Hij keek daarbij nadrukkelijk níét naar Jan-Joost, die met open mond naar de tennisbal keek. 'We zitten meestal daar, onder die boom. Lust je dropstaafjes? Ik heb een zakje bij me.'

Elise lachte. Het klonk Bob als muziek in de oren.

'Ben je die dikke vuurtoren vergeten?' vroeg Annabel hatelijk. 'Fijne vriend ben jij. Een nieuwe griet en je kijkt al niet eens meer naar de anderen.'

Waar was Sara toch? Normaal waren ze altijd bij elkaar in de pauze. Hij keek om zich heen en zag haar net naar buiten komen. 'Daar is Sara. Het tweede lid van onze bijzondere club. Ze is hartstikke slim, dat vinden sommige mensen hier niet zo leuk. En ze is heel aardig.'

Elise knikte dankbaar.

'Zoek het dan maar zelf uit. Een slome hebben ze nog niet in hun clubje, daar pas jij mooi bij,' snauwde Annabel. Ze draaide zich om en liet Elise aan Bob over. Die keek een beetje bedrukt.

'Niks van aantrekken. Het zijn een stel rotgrieten bij elkaar,' zei Bob bemoedigend. 'Ze moeten gewoon altijd iemand hebben om tegen te katten.'

'Noemen ze jou echt Sukkelbob?' vroeg Elise voorzichtig. Sara kwam eraan lopen en met z'n drieën zochten ze een plekje in de schaduw. 'Die Jan-Joost... wat een kwal.'

'Mooie worp trouwens.' Sara trok een wenkbrauw op. 'Ik was boven, zag het door het raam.'

'Waar was jij?'

'Plantjesdienst.'

O ja. Sara moest de planten en de goudvis verzorgen. Haar ogen vernauwden zich iets. 'Hoe deed je dat?'

'Hoe deed ik wat?'

Elise lachte zachtjes. 'Je zette hem mooi voor schut, die Jan-Joost.'

Het ongeloof straalde haast van Sara af. Ze zei niets, maar keek heel onderzoekend naar Bob. Hij kreeg het er een beetje warm van.

'Het was gewoon toeval, hoor,' haastte hij zich te zeggen. 'Hij heeft wel gelijk. Meestal lukt het niet zo goed.'

'Maar nu wel,' zei Elise.

'Ja,' echode Sara met een vreemde uitdrukking op haar gezicht. 'Nu wel, ja.'

Elise keek naar het schoolplein waar Jan-Joost te midden van andere leerlingen stond. 'Wat was dat waar hij het over had? Een club?'

Sara deed haar mond open om te antwoorden, maar Bob was haar voor. 'Wij, Sara, Eus en ik, vallen er een beetje uit bij de popi's. We hebben een bijnaam gekregen: de bolle-sukkel-kakkerclub. Sara is de bolle, ik ben de sukkel en Eus is de kakker.' Hij vertelde het zo opgewekt dat Elise moest lachen.

'Vinden jullie dat niet erg dan? Zo'n scheldnaam?'

Natuurlijk wel, dacht Bob, kijk Sara maar eens krimpen als iemand haar weer naroept, maar in plaats daarvan zei hij: 'Schelden doet geen zeer. En zeg nou zelf: zit jij te springen om Jan-Joost?'

Elise lachte, maar Sara hield haar hoofd een beetje scheef en keek hem bevreemd aan.

'Het lijkt wel of je er trots op bent,' zei ze.

Bob spreidde zijn armen. 'Misschien ben ik dat ook wel een beetje!'

Daar kon Sara wel om lachen. 'Precies. Je wordt nou eenmaal niet zomaar lid van de bolle-sukkel-kakkerclub!'

's Middags merkte Bob dat er meer dingen lukten. Hij viel niet één keer over zijn eigen voeten, zijn bril bleef op zijn neus zitten en zijn kleren bleven voor de verandering heel en schoon. Zijn proefwerkstuk bij handenarbeid lukte het beste van allemaal. Waar anderen vreemde gedrochten maakten van klei, verscheen er onder zijn handen een geweldige olifant. De meester was onder de indruk en beloonde zijn werk met een dikke voldoende. Hij liep de trappen op, met twee treden tegelijk, zonder te struikelen. Het was alsof hij zweefde. Zelfs toen de meester aankondigde dat het geschiedenisproefwerk van morgen behoorlijk pittig was, kon zijn humeur niet stuk.

Maar het beste van allemaal was nog wel dat Elise hem leuk vond. Ze lachte om zijn grapjes, ze luisterde als hij wat vertelde en bleef in zijn buurt. Ze wisselden e-mailadressen uit en spraken af op msn. Toen de school uit was, en haar vader haar met de auto kwam ophalen, zei ze dat ze zou vragen aan de meester of ze naast hem kon blijven zitten.

'Aaaaah,' zuchtte Bob. Hij keek de wagen na. Een verkoelend briesje ruiste door de bomen en het zonlicht schitterde met dubbele kracht. Alles was anders: intenser, mooier, beter!

'Bob Smelink.' De stem van Sara deed hem opschrikken. 'Wat is er met jou aan de hand? Je doet heel raar.'

Bob rechtte zijn rug, waardoor hij langer leek. 'Niet waar.'

'O nee?'

'Nee. Ik... het ging gewoon goed met me vandaag.'

'Ik geloof er niks van dat het zomaar goed ging.' Sara ging onverbiddelijk door. 'Je bent nou al hoteldebotel van die Elise, hè? Pas maar op. Straks laat ze je vallen als een baksteen.'

Waarom ze zo fel deed, was Bob niet duidelijk. Het was toch hartstikke fijn om een keer cool te zijn? Trouwens, wat ging het haar eigenlijk aan?

'Nou, je vergist je. Ik heb me gewoon voorgenomen om beter op te letten,' zei hij scherp. 'Daar heeft Elise niks mee te maken.'

'Je liegt dat je barst,' zei Sara fel.

'Doe niet zo stom! Je bent gewoon jaloers!'

'Op haar? Laat me niet lachen!'

'Waar maak je je dan zo druk om?'

Daar had Sara nu eens een keer geen antwoord op. Ze gooide haar warrige krullen naar achteren en draaide zich om. 'Ik heb hier geen zin in. Aju paraplu.' En voor Bob iets kon zeggen, was ze al overgestoken en liet hem op de stoep achter.

'Sjips,' gromde Bob. Hij was nijdig dat ze hem weer eens in de gaten had, maar het was niet zijn bedoeling om haar weg te jagen. Ze kon soms zo irritant slim zijn! Bob wist dat het niet lang zou duren voor ze één en één op zou tellen. Dan zou ze zo in de smiezen hebben hoe het kwam dat hij opeens super-cool was.

Nou ja, jammer dan. Bob wist één ding in ieder geval heel zeker: voordat hij vanavond ging slapen, zou hij nog zo'n pitje eten!

Het is gewéldig om geluk te hebben

Bob kauwde op de achterkant van zijn pen en schreef toen het laatste antwoord op. Pittig proefwerk? Pfft. Zijn moeders Chinese tomatensoep was pittiger. Hij keek om zich heen. Het was muisstil in de klas. Er werd driftig geschreven en gekrast. Soms hoorde hij een diepe zucht, maar de hele groep was geconcentreerd bezig. Geschiedenis was niet zijn sterkste vak, en toch was hij het eerste klaar van allemaal.

Voorzichtig keek hij opzij. Eugene was weer op school. Samen met Sara was Bob naar school gelopen zonder bij Eugene langs te gaan. Sara vertikte het en omdat Eugene gisteren niet op school was, wisten ze toch niet of hij eigenlijk wel zou komen – zei ze. Dus liepen ze het witte hek voorbij. Sara keurde het geen blik waardig, maar Bob keek vlug even opzij en zag voor het huis de zwarte auto weer staan. Verder was het er stil.

'Ben benieuwd of Eus komt,' zei Bob en hij hoopte dat Sara minder bits zou doen. Ze haalde haar schouders op.

'Kom op,' hield Bob aan. 'Eus kan er toch niks aan doen?'

'Hij had best even kunnen msn'n,' zei Sara stug.

'Nee, dat kon hij niet. Hij was op een trouwerij, weet je nog?'

Sara schudde haar hoofd. 'Laat nou maar,' gromde ze en ze sloegen de hoek naar het schoolplein om.

'Daar heb je hem,' wees Bob. De chauffeur van de zilvergrijze auto zette Eugene net af bij school. Hij geeuwde uitgebreid, slingerde zijn tas over zijn schouder en sjokte het schoolplein op. Meteen liep hij op Bob en Sara af.

'Bruiloft gehad?' vroeg Sara langs haar neus weg, waarop

Eugene nietszeggend zijn schouders ophaalde. 'Hoe was je feestje?'

'Gaat wel,' zei hij alleen maar.

'Wat nou, gaat wel?' Sara was niet zo snel tevreden. Ze zette demonstratief haar handen in haar zij. 'Je had wel eens mogen zeggen dat je naar een trouwerij moest.'

Eugene knipperde niet eens met zijn ogen. 'Ik wist het ook niet eerder.'

'Maar...'

Met een hoop geschreeuw kwam er een hele meute achtstegroepers voorbij. Wat Sara nog meer zei, verstond Bob niet meer. Hij keek naar Eugene en vroeg zachtjes, zodat Sara het niet kon horen, of alles goed was.

Zijn vriend maakte een nukkig gebaar met zijn schouders. 'Jullie doen net of het leuk is om altijd maar mee te moeten,' mompelde hij en hij deed een stap verder terug om de schoolverlaters erlangs te laten.

Bob wist niet precies wat Eugene vervelend vond aan een trouwfeest, maar toen hij het sippe gezicht van zijn vriend zag, dacht hij het te begrijpen. Het was vast een of andere saaie toestand van zijn ouders waar hij naartoe moest. Eugene geeuwde.

'En nou ga ik het 'm vragen,' hoorde Bob achter zich zeggen. Hij kon nog net op tijd Sara tegenhouden.

'Laat hem nou maar even met rust,' waarschuwde Bob. Het was Sara ten voeten uit. Ze stond te popelen om Eugene te bestoken met vragen over vrijdag. Om meteen de ochtend al te beginnen met ruzie, daar had hij weinig zin in. Bovendien zag Eugene er niet zo heel florissant uit. O ja, hij was even keurig en netjes als altijd, maar hij keek een beetje dof uit zijn ogen. Alsof hij heel moe was.

'We hebben een nieuw meisje in de klas,' kondigde Bob aan. 'Ze heet Elise.'

'En Bob is nou al verliefd,' vulde Sara aan, waarbij ze een gelukzalige nepgrijns op haar gezicht toverde.

'Jan-Joost wilde haar al inpalmen, maar gelukkig vindt ze Sara en mij leuker.'

'Uh-uh. Ze vindt jou leuker, hoor. Tegen mij zei ze niet zo veel.'

Eugene trok een wenkbrauw op. 'Is daar iemand jaloers?' vroeg hij.

'Helemaal niet!' Sara werd direct woest. 'Je klinkt al net zo stom als Bob. Het is ook altijd hetzelfde. Als ik al zelfs maar dénk dat jij of Bob interesse hebben in iemand anders, ben ik meteen jaloers!'

Bob grijnsde. 'Als ik zelfs maar iets zég tegen een leuk meisje, denk jij meteen dat ik smoorverliefd ben. Bijna hetzelfde.'

Sara stak haar tong uit. 'Heb je wel voor het proefwerk geleerd, Eus? Geschiedenis vandaag. Wist je dat eigenlijk?'

'Ja, de meester had het doorgegeven. Gisteren had ik weinig tijd, dus echt goed heb ik niet geleerd,' zei hij schouderophalend. 'Maar het gaat over Alexander de Grote, toch? Ik heb drie films over Alexander de Grote, dus het zal vast wel lukken. En ik heb op Discovery Channel ook een hele avond over hem gezien.'

Sara schudde haar hoofd. 'Je kunt toch niet alles alleen maar van tv leren?'

'Ik haal toch goeie cijfers voor geschiedenis?' Eus bleef onverstoorbaar. 'En jij, Bob? Jij bent daar niet zo goed in. Misschien moet je wat meer tv-kijken.'

Bob dacht aan de pit van de Flora fortuna die hij gisterenavond opgeknabbeld had. De gelukspit zou hem niet in de steek laten en dat wist hij.

'We zullen zien,' zei hij. 'Daar is Elise!'

Sara kwam achter Bob lopen toen ze de trap op liepen naar

hun klas. 'Ik ga het hem straks vragen hoor,' fluisterde ze. 'Ik moet weten of hij heeft gezien dat zijn moeder zo tegen ons deed. En waarom hij het niet voor ons opnam.'

Maar voorlopig kwam dat er niet van. Zoals gewoonlijk met een proefwerk schoof de meester de tafeltjes van elkaar en zat iedereen op zijn eigen kleine eilandje. Praten kon al helemaal niet. Elise had een plaatsje vooraan gekregen, omdat er weinig plek was waar Bob, Eugene en Sara zaten. Niet dat het nu wat uitmaakte. Pas na de pauze zouden de tafeltjes weer op hun plaats gezet worden.

Bob schoof zijn proefwerk naar de hoek van zijn tafel nadat hij gecontroleerd had of zijn naam erop stond. Daarna keek hij op zijn gemak om zich heen. Het schoolgebouw was al oud, en in de winter kon het op sommige plaatsen flink tochten, maar in de zomer was het er heerlijk koel. De plafonds waren hoog en de muren hingen vol met platen en posters. Op de vensterbank stonden planten en er was een klein aquarium waar guppies in zaten. Achter in de klas stond een hele rits boeken op de kasten.

Ouderwetse geel-witte zonneluifels hielden de hitte uit de klas. Buiten scheen de zon, fel en heet. Scherpe schaduwen van de oude beukenbomen vielen over het schoolplein. Over een kwartiertje zouden de kleuters naar buiten komen, en was het gedaan met de stilte. Bob was blij dat hij zijn proefwerk af had. Links van hem zat Eugene, die met een slaperig gezicht naar zijn papier zat te staren. Echt goed kon Bob het niet zien maar hij dacht dat Eus ook al klaar was en nu een beetje zat te suffen. Sara, aan de andere kant, zat zo diep over haar proefwerk gebogen dat hij haar gezicht niet kon zien.

Bob begon te mijmeren. Had Sara gelijk toen ze zei dat hij verliefd was op Elise? En Eus, had die het bij het rechte eind toen hij vroeg of Sara jaloers was?

Nou, wat Elise betrof – daar moest hij Sara wel gelijk in geven. Hij vond haar echt heel erg leuk. Ze was knap, en lief, aardig... Zijn maag buitelde toen hij opkeek en net zag hoe ze afwezig aan een muggenbult krabbelde.

Maar Eus had misschien ook wel wat. Sara reageerde zo fel! Nee, ze zou toch niet... Ze zou toch niet verliefd zijn op hem? Op Bob?!

Hij schudde zijn hoofd, alsof hij die rare gedachten wilde verdrijven. Hij vond Sara wel leuk, maar verliefd, dat was hij niet, hoor. Dat had niks te maken met haar rossige haar of haar sproeten of dat ze een beetje dik was. Sara was gewoon zijn beste vriendin, klaar uit.

Maar dan Elise. Die was echt heel knap. Hij zuchtte een beetje verliefd.

Opeens stond de meester op en kwam stilletjes naar hem toe gelopen. Hij boog zich voorover tot zijn gezicht vlak bij dat van Bob was en zei zachtjes: 'Ben jij nu al klaar?'

Bob knikte.

'Weet je dat zeker?' vroeg de meester. 'Je cijfers zijn nooit zo goed voor geschiedenis.'

Weer knikte Bob en hij fluisterde terug: 'Ik heb alles af. Ik wist de antwoorden.'

De meester liet zijn blik snel over het proefwerk glijden. 'Goed. Wil jij dan even voor mij naar meneer Karthuis lopen en hem dit briefje geven? Als het goed is, krijg je dan wat potloden en zo mee.'

Dat wilde Bob wel. Zachtjes stond hij op en liep op zijn tenen de klas uit. Hij zag het gezicht van Elise, die diep in gedachten naar hem opkeek toen hij voorbij kwam lopen en hij gaf haar heimelijk een knipoog. Ze glimlachte afwezig en boog zich weer over haar proefwerk.

Wat een geweldig gevoel, als je alles kan, dacht Bob en hij trok stilletjes de deur van het lokaal dicht. Daarna liep hij de trappen af. Lekker, proefwerk klaar en hij mocht even de klas uit. Meestal was zo'n klusje voor degene die het eerste klaar was, en Bob hoorde daar niet al te vaak bij.

Karthuis was de conciërge en de zuurste, onvriendelijkste en onaangenaamste man die hier op school werkte. Hij was er altijd op uit om leerlingen ergens op te betrappen en ze dan naar de directeur te slepen. Er hing een weeïg geurtje om hem heen, dat perfect paste bij de bleke, ouderwetse kleren die hij droeg. Omdat hij zo vervelend deed, had hij al snel een bijnaam gekregen. De kinderen op school noemden hem allemaal Kakhuis, natuurlijk.

Alleen was Kakhuis er nu niet. Tenminste, Bob kon hem niet vinden. Hij liep naar het kleine hokje waar de conciërge meestal zat en klopte op de deur. Er kwam geen antwoord, maar de deur ging wel langzaam een eindje open.

'Hallo? Meneer Karthuis?'

Het licht was aan, omdat het een nogal donkere ruimte was. Ergens bovenin zat een klein raampje, maar veel licht kwam daar niet doorheen.

Bob stapte naar binnen. Hij had al vaak bij de deur gestaan, zoals zo veel kinderen, maar hij was nog nooit in het kamertje geweest.

Aan de ene kant lag en hing een heleboel gereedschap – hamers en schroevendraaiers en bakken vol spijkers, moeren en bouten. Aan de andere kant stonden in metalen rekken keurige voorraden opgesteld: kartonnen dozen vol pennen, potloden, stiften in allerlei kleuren en scharen, daarboven hele stapels schriften met lijntjes of ruitjes en nog hoger lag gekleurd papier en karton, gesorteerd op kleur en grootte.

Het rook er naar nieuwe spullen, als je de muffe lucht van Kakhuis wegdacht. Bob liep wat verder naar binnen en hield zijn hoofd scheef om de opschriften op de ruggen van de boeken te lezen. EHBO... Klein en groot onderhoud... Elektriciteitswijzer... Wat te doen bij calamiteiten... Computeren voor dummies...

Hé... een computerboek? Als vanzelf ging Bobs hand naar de kast en trok het boek uit het rijtje. Hij sloeg het open en las tot zijn plezier dat er zelfs in werd uitgelegd wat klikken was en hoe dat je dat moest doen. Dat was inderdaad een boek voor dummies...

'WAT MOT DAT HIER?'

'O! Kak... Meneer Karthuis!' Snel zette Bob het boek terug op de plank, stootte in zijn haast de hele rij om en keek met een kleur hoe ze allemaal opzijschoven. Tot zijn opluchting kwamen ze tegen een zware doos tot stilstand.

'Wil jij wel eens maken dat je hier wegkomt? D'r uit!' snauwde Karthuis boos en hij ging demonstratief zo staan, dat Bob zijn buik in moest trekken om langs hem te kunnen bij de deuropening. 'De materiaalkamer is verboden voor leerlingen! Jij bent Van Smelen, hè? Geloof maar dat ik je in de gaten heb, mannetje.'

Bob haalde een keer diep adem en stak het briefje uit naar de conciërge. 'Dit is van meester Frank. Hij heeft deze spullen nodig.'

'Hm.' Grommend liep Karthuis naar het rek met de potloden en pennen en begon af te tellen wat er op het briefje stond. '23 HB potloden, 5 gummetjes en een tafelpuntenslijper.' Hij legde het gevraagde in een kartonnen deksel na het nogmaals nageteld te hebben, en pas toen hij zeker was dat er geen potlood te veel in zat, gaf hij het aan Bob mee.

'Van Smelen.'

'Nee, meneer. Smelink.'

'Smelink, dat zei ik toch? Welke groep?' Meteen kraste hij in een onduidelijk handschrift Bobs naam op een vel papier, waar nog meer namen stonden. Allemaal leerlingen die wel eens wat waren komen halen. Als een havik paste Karthuis op zijn spullen. Er ging niets de deur uit zonder dat hij daarvan wist. 'Je houdt me van mijn werk,' knarste hij. 'Hoe krijg ik die afvoerpijp nou gemaakt als jullie iedere keer weer komen zaniken?'

Iedere keer? Bob liet hem maar razen en pakte zwijgend de spullen aan. Met het doosje in zijn handen liep hij terug naar de klas, waar de meester net aankondigde dat iedereen moest opschieten omdat ze nog vijf minuten hadden. De meeste kinderen hadden hun proefwerk al op de hoek van hun tafeltje gelegd.

Sara, Eugene en Elise waren ook al klaar. Sara trok een bedenkelijk gezicht om aan te geven dat ze niet wist hoe ze het gemaakt had. Pfff, bedacht Bob schamper. Ze haalde alleen maar geweldige cijfers, bij elk vak. Eugene haalde zijn schouders op: niks bijzonders voor hem. En Elise seinde naar hem dat het wel redelijk ging. Toen de pauzebel ging, schoven de vier met elkaar naar buiten.

'Eus,' Sara barstte bijna toen ze hun eigen plekje onder de beuk hadden ingenomen, 'waarom deed jouw moeder zo raar?'

'Wat bedoel je?' Eugene nam een hap van zijn appel en keek met een afkeurend gezicht naar de beurse plek waar hij haast in gebeten had. Hij hapte het stuk eruit en gooide het in de struiken.

'Nou, vorige week, bij jullie hek. Ze bonjourde ons zo weg.'

Al kauwend keek Eugene haar aan. 'Ik weet niet waar je het over hebt. Wanneer was dat dan?'

'Vrijdag! Jij zat in die zilveren auto en jouw ouders in die andere en jouw moeder deed net of...' Ze haalde even adem en aarzelde toen, 'Of... jouw moeder deed net of je niet meer met ons wou optrekken.'

'Echt?' Verbaasd keek hij haar aan. 'Wat raar. Was dat toen ik in de Audi zat?' Er trok een rimpel over zijn gladde voorhoofd. 'Heb ik niks van gemerkt.'

Bob viel Sara bij. 'Jij zat tv te kijken. We hebben je nog geroepen!'

Eugene schudde zijn hoofd. 'Sorry hoor. Ik weet niet waar jullie het over hebben.'

'Mag jij niet kiezen wie je vrienden zijn?' vroeg Elise, die stil had zitten luisteren.

Eugene antwoordde een beetje kortaf: 'Natuurlijk wel.' Hij nam nog een hap van zijn appel. Meteen ging hij over op een ander onderwerp. 'Hoe ging jullie proefwerk?'

'Ik heb dat een paar maanden geleden al eens gehad, dus mij viel het mee,' zei Elise vlug, zodat Sara niet door zou gaan over Eugenes moeder.

'Ik weet het niet,' zei Sara, die nog steeds ontevreden keek. 'Best veel jaartallen.'

'Ik vond het makkelijk,' zei Eugene. 'Bob?'

'Eitje.' Bob grijnsde. 'Ik was niet voor niks als eerste klaar.'

'Normaal ben je anders niet zo'n ster in geschiedenis.' Sara keek hem doordringend aan.

Bob haalde zijn schouders op. Ze moest eens weten! Zoals hij zich nu voelde, kon het eenvoudigweg niet fout gaan. Hij lachte en zei tegen Elise: 'Ik hou niet van geschiedenis. Computers en tekenen, dat vind ik leuk.'

Elise stond op van het muurtje. 'Mag je hier naar binnen in de pauze? Ik moet even naar de wc.' Ze lachte. 'Binnen heb ik nog snoep liggen. Kan ik dat ook meteen even pakken.'

'Dat mag,' knikten Sara en Bob tegelijk.

'Je hebt gelijk,' zei Sara toen ze weg was. 'Ze is toch wel leuk.'

'Fijn dat je het ook merkt,' zei Bob droog. 'Eus, wat was dat voor iets waar je gisteren was?'

'Dat heb ik al gezegd: een bruiloft. Vrienden van mijn ouders.'

'O ja. Vrinden,' herhaalde Sara op de manier van Eugenes moeder. 'Waren ze wel goed genoeg voor jullie?'

Huh? Bob keek haar aan. Dat was laag. Hij wist niet zeker of

Eugene het merkte, maar die gaf als antwoord dat het saai was. Verder had hij er niets over te zeggen en dat deed hij dan ook niet. Sara gaf het op.

'Morgen sportdag,' zuchtte ze. 'We zullen wel weer op dat veld moeten waar al die hondenpoep ligt.'

'O ja. Heel fijn. Vorig jaar trapte ik erin,' knikte Bob. 'Dat zal me niet nog een keer overkomen. Brrr. Ik heb een half uur lang met een stokje die prut uit mijn zolen staan halen.'

'Misschien kun je Jan-Joost een duwtje geven. Die stinkt nog net niet hard genoeg,' vond Sara. 'Daar is je vriendinnetje alweer. Hebben jullie al verkering?'

'Doe niet zo achterlijk!' Bob gaf haar een stevige duw en verloor bijna zelf zijn evenwicht. Hij kon zich nog net overeind houden en zat nonchalant op het muurtje toen Elise erbij kwam zitten. Sara giechelde en Eugene lachte. Het voelde gelukkig al weer haast aan als vanouds.

Na school liepen ze met z'n vieren naar huis en kletsten over de bolle-sukkel-kakkerclub, waar Elise steeds erg om moest lachen. Bob beschreef in geuren en kleuren hoe hij nog in

staat was om over een grasspriet te struikelen en bleef meteen met zijn shirt achter een paaltje haken. Het scheurde niet, maar dat scheelde niet veel. In plaats van zich oliedom te voelen, lachte hij vrolijk met de anderen mee en voor een keertje was het grappig om zichzelf te zijn. Nadat Eugene en Sara allebei hun eigen kant op waren gegaan liepen Elise en hij het laatste stuk samen.

'Ik vind jullie helemaal niet bolle-suk-kak,' zei ze. 'Jullie doen tenminste normaal.'

Bob lachte. 'We zijn prettig gestoord. Hoe komt het eigenlijk dat je zo kort voor de vakantie nog in onze klas komt?'

Elise zocht de schaduw op. 'Mijn ouders zijn gescheiden toen ik vier was en ik woonde altijd bij mijn moeder in Oostzaan. Maar dat ging niet meer. Ik woon nu bij mijn vader en broer Harm, want mijn moeder is... mijn moeder is ziek.'

'Ziek? Wat heeft ze dan?'

'Ze is heel erg in de war,' legde Elise een beetje terughoudend uit. 'Daardoor doet ze rare dingen.'

'Wat dan?'

'Ze liep in haar pyjama over straat. Ging in een fontein zitten zingen, midden in de winter. Soms nam ze spullen mee uit winkels en toen werd ze opgepakt als winkeldief. Op een dag stapte ze op de trein en ze wist niet waar ze heen ging. Dat soort dingen.'

Bob wist niet goed wat hij moest zeggen. Elise ging uit zichzelf verder.

'Kinderen uit de klas lachten mijn moeder en mij uit. Dat was net voordat ze naar het ziekenhuis ging. Er waren twee meisjes die... ze... die... ze waren heel gemeen. Omdat mijn moeder niet meer thuis kon blijven, ben ik bij mijn vader en mijn broer gaan wonen. Ik wilde per se ergens anders naar school en toen ik ging verhuizen kwam dat goed uit. Daarom is het nog maar zo kort voor de vakantie.'

Bob begreep dat Elise niet graag over haar oude school praatte. 'Hoe is het om bij je vader te wonen?'

'O, goed hoor. Ik ben graag bij papa en bij Harm, en mijn stiefmoeder is ook oké. Harm zit ook hier op school, in groep acht.'

'Wat gek dat jullie niet allebei bij je moeder woonden,' merkte Bob op, waarop Elise haar hoofd schudde.

'We mochten kiezen bij wie we wilden wonen. Harm wilde liever met papa mee en ik wilde bij mijn moeder blijven. Om het weekend waren we samen, als ik naar pap toe ging of Harm bij ons kwam. En in de vakanties, natuurlijk. Maar nou zien we elkaar elke dag.' Ze lachte. 'Dat is toch wel leuker dan alleen met je moeder in een huis wonen.'

Bob kende geen jongen uit groep acht die Harm heette. Maar misschien kende hij hem wel van gezicht. Zou Elise op hem lijken?

'Vind je het leuk hier?' vroeg Bob door.

'Ja, best. Ik ben al een maandje hier in de buurt bij een dansgroep, en die meisjes zijn wel leuk. Als ze me op school maar gewoon met rust laten...'

'Daar zorg ik wel voor,' zei Bob stoer. 'Ik leid ze wel af met mijn gestuntel.'

Elise lachte een tinkelende lach en draaide een pirouette alsof ze een ballerina was. Bob voelde iets warms over zijn ruggengraat kriebelen. Ze was echt helemaal te gek!

'Zeg,' zei ze en ze raakte even zijn arm aan, 'vertel je het aan niemand, dat van mijn moeder?'

'Nee hoor. Daar heeft niemand iets mee te maken.'

'Tot morgen dan!' zei ze en ze liep met huppelende pasjes het straatje in waar zij moest zijn.

Tot morgen, dacht Bob en hij keek haar na tot ze de bocht om was. Elise... Elise... Elise... zong een stemmetje in zijn hoofd.

Bob zat net aan zijn huiswerk – nog twee proefwerken en dan waren de testdagen voorbij – toen er gebeld werd. Tot zijn verbazing stond Elise voor de deur.

'Hoi,' stamelde ze een beetje ademloos.

'Hoi... hoi, Elise.' Bob keek haar aan. Wat was ze toch lief om te zien. En ze zag er zo leuk uit in haar blauw-wit gestreepte truitje en die stoere spijkerrok. 'Wat doe je hier... Ik bedoel... Kom binnen!'

Ze schudde haar hoofd. De lange oorbellen die ze droeg, bungelden vrolijk heen en weer. 'Ik moet naar balletles. Maarre... ik kwam je even iets geven.' Uit haar tas haalde ze een doos met cadeaupapier erom.

'Voor mij?' vroeg Bob verbaasd.

Elise knikte. Ze kreeg een blosje, glimlachte en zei een beetje verlegen: 'Je zei dat je tekenen leuk vindt. Daarom heb ik dit voor je meegebracht. Maak je het niet open?'

'O ja, natuurlijk!' Bob scheurde het papier eraf. Er zat een stevige metalen doos met een hele serie splinternieuwe stiften in – van een heel duur en goed merk. Nu was het Bobs beurt om een kleur te krijgen.

'Wauw. Visscher Stiften. Dat zijn de beste,' zei hij.

'Ze stonden maar thuis in de kast,' zei ze, 'dus, als ik jou er blij mee kan maken...'

'Nou, hartstikke vet!' riep Bob blij. 'Wil je echt niet even binnenkomen?'

'Nee, anders kom ik te laat. Tot morgen.' Ze draaide zich om en zette er stevig de pas in. 'Ik moet opschieten!' riep ze over haar schouder.

'Bedankt voor de stiften!' riep Bob. 'Morgen sportdag, vergeet je gymspullen niet!'

Ze zwaaide toen ze bij de hoek van de straat kwam en was daarna verdwenen. Bobs hart maakte een sprongetje. Ze vindt mij lief, ze vindt mij lief, jubelde hij in stilte en hij liep met de stiftendoos tegen zich aan geklemd naar boven. Die stiften, dat was zo interessant niet... maar dat Elise ze aan hem had gegeven, dát was waar het allemaal om draaide.

Hoezo geluk? Dolgelukkig!

'Bob, eten!' riep Bobs moeder en hij knipte de televisie uit. Het regende buiten, een lange, frisse zomerbui waardoor het lekker begon te ruiken. Maar in de keuken hing een wat bedrukte sfeer. Bobs vader zat met een berg papieren voor zijn neus waar hij doorheen zat te bladeren en krabbelde met zijn dikke vingers in zijn haren.

'Is er wat?' Bob schoof aan en pakte een vork waarmee hij de sperziebonen en de gebakken aardappels naar binnen begon te werken.

'Nee, hoor. Niks om je zorgen over te maken,' antwoordde Bobs moeder, maar het klonk een beetje treurig. 'We hebben minder geld teruggekregen van de belasting dan we hoopten.'

'Het zit ons even wat minder mee.' Bobs vader zuchtte. 'We hebben meer kosten gehad dan vorig jaar.'

De gebakken aardappels leken opeens in Bobs mond te branden. 'Huh? We zijn toch niet arm of zo?'

'Nee, nee,' herhaalde zijn moeder, 'niks om je zorgen over te maken. We hoeven je computerspelletjes nog niet te verkopen, hoor.'

'Dat is niet grappig,' zei Bob. 'Wat is er dan?'

Bobs vader legde zijn hand op de papieren. 'Het restaurant doet het niet zo goed als we zouden willen,' zei hij zachtjes. 'Als het zo doorgaat, weet ik gewoon niet meer wat we moeten doen.'

Zijn moeder keek stil en met een boze blik naar haar man. Ze had dat liever nog even voor zich gehouden. Het bleef stil in de keuken. Bob slikte met moeite zijn eten door. Wat betekende dat? Zouden ze het restaurant dan moeten sluiten? Dat kon toch niet? Hij wist hoe hard zijn ouders ervoor gewerkt hadden en hoe leuk ze het vonden om het pannenkoekenhuis te runnen. Bobs moeder vond het heerlijk om kinderen in de zaak te hebben en zijn vader zwaaide met strakke hand de pollepel in de keuken.

'Er is niet zo veel belangstelling meer voor pannenkoeken,' zei zijn vader. 'Mensen willen steengrillen of wokken.'

'Niet waar,' wierp Bob fel tegen. 'Ik ken niemand die geen pannenkoeken lust!'

'Daar gaat het niet om. Het is niet exclusief genoeg meer.' Hij zuchtte diep. 'Laat maar, jongen. Je moet niet je hoofd breken over onze problemen. We komen er wel uit, oké?'

Maar Bob wist meteen wat hij moest doen. Hij had nog een paar van die pitten. Hij zou zorgen dat zijn vader en moeder er eentje zouden opeten. Dan zou het geluk ook hun kant opkomen en hoefden ze zich geen zorgen meer te maken over het restaurant. Want Bob wist zeker dat zijn ouders dan een goed idee zouden krijgen. En daar kwam dan het geld mee binnen. En de klanten.

Na het eten rende hij naar boven en haalde het doosje met de Flora fortuna uit zijn nachtkastje. De vrucht zag er al heel wat minder fris uit dan een paar dagen geleden. Het rozerode vruchtvlees begon uit te drogen en de geur was bijna weg. De vier houtkleurige pitten glommen wat minder, maar zagen er nog goed uit.

Hij pakte er twee en woog ze op zijn hand. Nee. Eentje moest genoeg zijn voor zijn pa en ma. Er hoefde maar één ding te gebeuren, en dan zaten ze weer op rozen. Bovendien moest hij zelf ook nog de nodige pitten hebben. Morgen, met de sportdag. Dan wilde hij ook eens een keer de allerbeste zijn, doelpunten maken en de held van de dag zijn. En donderdag had hij nog twee belangrijke proefwerken voor het rapport: taal en natuur. Daar kon hij wel wat geluk bij gebruiken. Als laatste wilde hij ook zijn geluk beproeven bij Elise. Vrijdag hadden ze schoolfeest. Hij wilde haar dan om verkering vragen. Als hij dan de laatste pit innam, zou hij een geweldige avond hebben en zat hij gebeiteld voor de komende tijd. Tegen de tijd dat de gelukspitten uitgewerkt waren, merkte ze dat waarschijnlijk niet eens meer.

Met de pitten in zijn hand telde hij ze na. Eentje voor sportdag, nog eentje voor de proefwerken en de derde voor vrijdagavond.

Het klopte precies. Hij legde de pitten terug in het bakje, sloot het zorgvuldig af en ging weer naar beneden. In de keuken stond zijn vader een beslagkom leeg te scheppen.

'Pap, lust je een nootje?'

'Nee hoor, ik heb net gegeten.'

'Maar je moet deze even proeven. Ik heb hem speciaal voor jou bewaard. Ze zijn heel apart.'

'Ik heb er geen zin in. Mag ik 'm bewaren?' Bobs vader leek echt niet geïnteresseerd. Het was te merken dat hij andere dingen aan zijn hoofd had. Hij gooide de pollepel in het afwaswater en begon er zo hard in te roeren, dat het schuim om zijn oren vloog.

'Ze worden nogal gauw taai,' zei Bob vlug. 'Maar ik kan 'm ook aan mam geven.'

'Ja, doe dat maar,' knikte hij. 'Mama houdt van noten.'

Bobs moeder was de tafels in het restaurant aan het dekken. Haar ogen waren opgezet en rood en ze snufte luidruchtig.

'Mam...'

'Morgen hebben we een kinderfeestje,' zei ze een beetje te hard terwijl ze met bestek en borden in de weer was. 'Daarom ben ik het vast een beetje gezellig aan 't maken.'

Bob zag een grote beker koffie op de bar staan en kreeg een idee. Net als zijn vader zou zijn moeder niet veel zin hebben in een nootje. Maar koffie lustte ze altijd, en na het eten pakte ze er meestal een chocolaatje bij. Bob pakte een zachte praline uit een doosje dat achter de bar stond en stak de pit erin. Daarna legde hij het chocolaatje op een klein presenteerbordje en zette dat naast de koffiemok.

'Alsjeblieft,' zei hij, 'een zelfgemaakte bonbon. Met de groeten van Bob. Een bonbob, eigenlijk, dus.' Hij liep naar zijn moeder, sloeg zijn armen om haar nek en gaf haar een dikke zoen. 'Maak je geen zorgen, mam. Het komt allemaal goed, toch? Morgen weet je wat je moet doen. Als je er een nachtje over geslapen hebt zie je het weer helemaal anders, zeg je altijd tegen mij.'

Zijn moeder keek naar hem op, een vertederde glimlach om haar mond. 'Een bonbob, zei je? Dat is leuk. Ik zal ervan genieten, hoor. Dank je wel, schat.'

Toen Bob naar boven liep om verder te gaan met zijn computerspel, leek het wel of hij zweefde. De trap nam hij met twee treden tegelijk. Hij voelde zich in één woord geweldig! Zijn hart sprong in zijn borstkas op en neer van pure opwinding omdat hij wist dat het zou gaan lukken! De Flora fortuna zou daarvoor zorgen. Een paar dagen tijd zou het kosten, maar hij wist zeker dat zijn moeder een fantastisch idee zou krijgen. Wat zou ze blij zijn! En zijn vader ook, ze zouden door de kamer walsen, zijn vader zou op de piano in de hoek gaan spelen en ze zouden zingen totdat ze er een droge keel van kregen. Als hij zijn ogen dichtdeed, kon hij zelfs voor zich zien dat het restaurant een prijs zou gaan winnen! Maar het mooiste van alles waren de gezichten van zijn vader en moeder, die zo gelukkig waren.

Net toen hij zat te bladeren in zijn boek van natuur – het computerspelletje was veel leuker, maar hij las het voor de zekerheid vast een keertje door – werd er op de deur geklopt en keek zijn vader om het hoekje.

'Ik moet even naar tante Karin. Heb je zin om mee te gaan?'

Bob schudde zijn hoofd. 'Nee, donderdag heb ik nog twee proefwerken. Ik moet er toch maar even wat aan gaan doen.'

Zijn vader glimlachte en wilde de deur weer dichtdoen, toen hij stopte en zijn zoon iets beter bekeek. 'Is er iets?' vroeg hij.

'Wat zeg je?'

'Of er iets is met jou. Je... je ziet er zo anders uit.' Hij zette een stap terug de kamer in en keek nog eens goed naar Bob. 'Je zit helemaal te glunderen.'

Het was meer een vraag dan een opmerking, maar zonder het te weten had Bobs vader de spijker op zijn kop geslagen. Hij was al in zo'n goed humeur vanwege Elise en nu dit... Opperste tevredenheid overspoelde Bob als golven op het strand. Hij was zo blij dat hij iets had kunnen doen om zijn ouders te helpen, dat hij wel kon juichen en springen.

Alles kwam goed met het restaurant. Dat wist hij honderd procent zeker!

Een ongelooflijke sportdag

In alle vroegte was Bob wakker geworden met een vreemd gevoel van opwinding in zijn maag. Vandaag ging hij het maken. Vandaag zou hij die rotzak van een Jan-Joost laten zien dat hij fantastisch kon voetballen. En vandaag zou hij het verste gooien bij het speerwerpen. Verspringen, daar was hij ook niet goed in, maar daar kwam zo meteen verandering in.

De Flora fortuna-vrucht lag er verschrompeld bij. Zo, dat was snel gegaan. Het leek nu meer op een uitgedroogd stuk zwart vlees – van het lilarode vruchtvlees was niets meer te zien. Niet erg smakelijk. Bob mikte de verdroogde vrucht in zijn prullenbak en stak daarna een pit in zijn mond. Nu waren er nog twee. Eentje voor de proefwerken morgen, en eentje voor het Grote Ogenblik! Het moment waarop hij Elise om verkering ging vragen. Dan kon hij de hele school laten zien dat hij geen loser was, want ze zou ja zeggen, zo simpel zou het zijn!

Terwijl hij onder de douche stond, vroeg hij zich af hoe het met zijn moeder was, maar toen hij beneden kwam, was zijn vader bezig met zijn brood.

'Waar is mama?'

'Die lag zo lekker te slapen, die heb ik maar laten liggen,' zei zijn vader en Bob herinnerde zich hoe vast hij zelf de eerste keer geslapen had.

'Moet je nog extra eten en drinken mee?' Behendig jongleerde Bobs vader met een paar lege drinkflesjes. 'Want het wordt weer warm en je moet goed drinken, hè?'

Gewapend met extra water en fruit in zijn rugzak, ging Bob in een opperbest humeur naar school. Eerst haalde hij Sara op en daarna liepen ze naar Eugene, die al buiten het hek op hen stond te wachten. Het botte gedrag van zijn moeder kwam gelukkig niet meer ter sprake. Elise, die van de andere kant moest komen, was al op het schoolplein.

Opeens kreeg Bob enorm zin om te vertellen wat hij vrijdag van plan was.

'Daar is je vriendinnetje,' zei Sara. Eus grinnikte zachtjes.

'Zal ik je eens wat zeggen?' fluisterde Bob in haar oor. 'Ik ga verkering vragen. En het gaat lukken ook, dat weet ik zeker.'

Sara keek op. Even, heel even, dacht Bob dat hij achterdocht zag in haar groene ogen. Maar ze zei niets en liep voor hem uit de school in.

'Ach, gadver. Het hondenpoepveld!' riep iemand.

De kinderen van de bovenbouw stonden bij de ingang van het terrein waar de sportdag werd gehouden. Meester Frank begon meteen driftig met zijn vinger te zwaaien.

'Dat is niet waar,' riep hij, 'gisterenavond is alles weggehaald en vanmorgen is het nog gecontroleerd. Geen gejammer, de eerste die nog zeurt over hondenpoep komt hier volgende week het veld ruimen voor elke gymles. Begrepen?'

Ze moesten toegeven dat het veld netjes was schoongemaakt. Er waren verschillende activiteiten waar elke leerling aan deel moest nemen. Het begon met verspringen. Bob keek hoe de anderen het deden en juichte voor Eugene, die een flink eind kwam. Elise was gemiddeld, maar leek met haar lichte lijfje wel te vliegen. Sara plofte als een zoutzak op het zand in een wolk van stof. Natuurlijk begonnen Annabel en Mira meteen weer hard te lachen, maar de meester kwam voorbij en snel deden ze hun mond dicht.

'Nou de superkluns,' kondigde Jan-Joost aan toen Bob aan de beurt was en de meester buiten gehoorsafstand was. 'Let op, mensen. Sukkelbob is aan de beurt. Wat is het deze keer? Val je over je veters? Struikel je in het zand? Of vergeet je gewoon je ene been voor het andere te zetten?'

'Ha ha,' zei Bob. Hij kolkte vanbinnen. Wat een verschrikkelijke kwal was het toch.

'Doe toch eens niet zo stom,' snauwde Sara tegen Jan-Joost die haar meteen begon na te bauwen. *Doe toch eens niet zo stom...*

'Kom op, Bob. Laat hem een poepie ruiken,' fluisterde Elise in zijn oor.

Bob haalde diep adem, zette het op een lopen, zette af op het houten plaatje en vloog door de lucht. Met een doffe plof kwam hij in de zandbak neer. Snel kwam hij overeind en keek op. Het verste! Van allemaal was hij het verste!

'Ja!' juichten Sara, Eugene en Elise. 'Hartstikke goed. Je hebt Jan-Joost verslagen!'

Met een gevoel van pure triomf liep Bob naar zijn aartsvijand toe. 'Wat had je, J-J? Jammer hè, dat ik toch net iets beter ben dan jij?'

'Heb je getraind of zo?' snauwde Jan-Joost met een rood hoofd. 'Het was gewoon geluk.'

'Precies,' beaamde Bob met een grijns.

Jan-Joost draaide zich om en liep met Annabel en Mira weg naar het volgende onderdeel. De andere kinderen van de klas keken naar hen, sommigen lachten, anderen waren verbaasd. Een van hen was Vianne, het meisje op wie Bob eerst een oogje had, maar dat hij prompt vergeten was met de komst van Elise. Ze lachte naar hem.

'Mooie sprong, Bob. Ik weet niet wat er met jou is,' zei ze, 'maar ik zie iets aan je. Je bent anders dan anders.'

Bob grijnsde. 'Ik heb eindelijk ook eens geluk,' zei hij en hij trok de anderen mee. Vianne was niet meer interessant. 'Kom, jongens, we gaan naar het volgende onderdeel. Wat moeten we nu doen?'

Met hoogspringen versloeg Bob Jan-Joost opnieuw. Dat Sara ongelukkig neerkwam en met een pijnlijk gezicht haar enkel vasthield, ging aan hem voorbij. Hij was helemaal gebrand op het verslaan van Jan-Joost. Bij elk onderdeel leken het wel twee kemphanen. De opmerkingen van Jan-Joost werden steeds gemener, en hoe harder die zijn best deed om Bob in te maken, hoe slechter dat ging.

Toen de meester een pauze van een half uurtje aankondigde, was Bob zo opgewonden dat hij bijna niet meer stil kon staan.

'Ik vermorzel hem,' zei hij met een grimas van ingehouden woede. 'Hij is zo onsportief, hij kan het gewoon niet hebben dat ik beter ben.'

Sara hield haar hoofd een beetje scheef. 'Wie is er nou onsportief?'

'Hij! Een echte laffe, flauwe, onsportieve...'

'Bob, hou nou...' Sara stopte midden in haar zin en keek alsof ze opeens het licht aan zag gaan. 'Nee... het is niet waar. Nou snap ik het. Dat ik dat niet eerder doorhad!'

Meteen begreep Bob wat ze bedoelde. Hij vermeed haar blik door in zijn tas te rommelen, maar ze ging door.

'Jij hebt zo'n geluksvrucht te pakken gekregen, hè... Hoe, dat weet ik ook niet, maar... maar het is waar, hè Bob? Bob?'

'Welnee. Dat is toch onzin, dat verhaal van die geluksvrucht?'

‘Die Flora fortuna! Daar groeiden vruchten aan. Dat vertelde die ouwe Levis. Over het geluk!’

‘Ach, doe niet zo raar,’ zei Bob en hij probeerde het spottend weg te lachen.

‘Daar zaten toch pitten in die geluk brachten of zoiets?’

Hij schudde zijn hoofd. ‘Dat kán toch helemaal niet!’

Maar Sara wist dat ze op de goede weg zat. ‘Hij kan niet van je winnen omdat je van dat spul hebt gegeten,’ zei ze botweg. ‘Heb je zo’n vrucht gekregen?’

‘Het was flauwekul! Je hebt het zelf gezegd,’ hield Bob vol.

‘Ik weet niet wat dat voor een goedje is, maar er is iets met je aan de hand. Wat er hier gebeurt, komt niet zomaar opeens uit de lucht vallen.’ Weer die rimpel tussen haar wenkbrauwen en haar hoofd een beetje scheef, en weer een opmerking die precies klopte.

‘Wacht eens... jij hebt dat ding niet gekregen... jij hebt...’ Ze maakte een gebaar alsof ze iets weggriste. ‘Hoe heb je het gedaan? Wanneer?’

‘Je bent gek,’ gromde Bob en hij klemde zijn kaken op elkaar.

Hij keek haar woedend aan, en terwijl ze haar vinger naar hem prikte, zei ze: ‘Je houdt anderen voor de gek, maar jezelf nog veel meer. Noem jij dat dan sportief spel?’

Onder zijn bezwete gezicht voelde hij het bloed naar zijn wangen schieten.

‘Waar hebben jullie het over?’ Eugene kwam aanlopen en trok een verbaasde wenkbrauw op. Elise kneep haar lege drinkpakje fijn terwijl haar ogen verbaasd van links naar rechts gingen.

‘Niks!’ snauwde Bob. ‘Sara, je bent gewoon jaloers. Omdat ik nu eens een keer wel mee kan komen.’

‘Daar heeft het niks mee te maken!’ schreeuwde ze bijna. ‘Denk je nou echt dat me dat ene moer interesseert? Het gaat om wat jij doet. Dat klopt niet!’

Eugene en Elise snapten er niets van. Sara klemde haar lippen op elkaar tot ze een dunne streep werden. 'Wat is er dan?' vroeg Eugene.

'Ik zeg niks,' zei Sara scherp. 'Bob moet het zelf maar vertellen.' Ze stond op en strompelde naar de toilethokjes verderop. Alsof het op commando ging, draaiden Eugene en Elise zich tegelijk naar Bob. Nou? leken ze te zeggen.

'Ze kletst uit haar nek,' zei Bob. 'Ze zoekt het maar uit.' Hij griste zijn flesje water uit zijn tas en liep weg, op naar het volgende onderdeel. Een partijtje drie tegen drie voetballen.

Elise plofte neer op de bank naast Sara, die nog steeds last had van haar enkel en niet wilde voetballen. Jan-Joost stond met Bert en Yvonne aan de ene kant, en het ploegje van Bob en Eugene was aangevuld met Giovanni, een sportieve jongen die het wel wilde opnemen tegen Jan-Joost. De meester benadrukte dat het ging om samenspel. Het potje, op een klein veldje, duurde tien minuten.

Bob dacht maar aan één ding. Hij zou Jan-Joost wel eens even leren! De bal kwam voor zijn voeten en hij zette het op een dribbelen.

'Huh?' deed Jan-Joost. Overrompeld stond hij te kijken hoe Bob, die gewoonlijk helemaal niet kon voetballen en er ook geen moeite voor deed, hem nu naderde.

'Speel af,' riep Giovanni. 'Ik sta vrij!'

Maar Bob stopte niet. Hij rende naar voren, passeerde Yvonne en Bert en schoot met een enorme knal de bal voorbij Jan-Joost in het doel. Ja! Doelpunt. Bob juichte en Eugene en Giovanni ook. Binnen een minuut ontfutselde Bob de bal weer aan Bert en ging hij ervandoor. Opnieuw naar het doel.

'Hier!' riep Eugene. 'Naar mij!'

De bal lag precies zo dat Eugene een mooie voorzet kon krijgen. Of ik doe het zelf, dacht Bob in een flits en hij haalde uit. Met een boog vloog de bal in het doel. Ja! Alweer een doelpunt.

Binnen tien minuten had Bob zes keer gescoord. Het waren stuk voor stuk mooie doelpunten en de ploeg van Jan-Joost had het nakijken. Ze werden compleet weggespeeld.

'Geweldig!' juichte Bob en hij stak zijn handen in de lucht. 'We zijn de winnaars, J-J was helemaal... hij had helemaal niks... we waren fantastisch!'

'We? Bedankt hoor, Bob,' zei Giovanni onvriendelijk en hij liep het veld af. 'Samenspel, weet je nog? Je hebt alleen maar aan jezelf gedacht.'

Bob keek hem verbaasd aan. 'Watte? Ik heb jou toch ook toegespeeld?'

'O ja? Wanneer dan?' Giovanni draaide zich om en liep weg. 'Egoïst,' mompelde hij.

Eugene stond zijn gezicht met een handdoek af te drogen en praatte zacht met Sara. Bob gaf hem een klap op zijn

schouder – hij was nog steeds opgetogen, ondanks Giovanni's gemopper. 'Dat ging lekker, Eus. Goed gespeeld, hè?'

'Ik vond er niks aan. Je moet meer afspelen,' antwoordde Eugene recht voor zijn raap. 'Giovanni heeft gelijk. Het ging om samenspelen.'

'Begin jij nou ook al?' Het lekkere gevoel dat Bob net nog had gehad, verdween als sneeuw voor de zon. Dit was niet de bedoeling. Hij scoorde normaal nooit, hij maaide meer over de bal dan dat hij iets raakte. Liep iedereen tegen hem te kankeren wat hij allemaal fout deed. En nu had hij zes keer gescoord, en was het ook weer niet goed!

'Maar als je de kans krijgt moet je toch scoren!' riep hij een beetje boos uit. 'Net of jullie altijd naar mij spelen als ik vrij sta.'

Eugene trok zich niet veel van Bob aan. Onverschillig trok hij zijn schouders op. 'Dan niet,' zei hij.

Elise kwam wat dichterbij en zei zachtjes: 'Een beetje gelijk hebben ze wel. Je hebt het alleen maar over verpletteren en vermorzelen en in de grond stampen. En je hebt in je eentje dat potje gespeeld. Volgens mij zijn die andere twee nog geen drie keer aan de bal geweest.' Verlegen sloeg ze haar ogen neer. Bob keek haar ongelovig aan. 'Niet boos worden, Bob, maar je gaat een beetje te ver,' vulde ze aan, zo zachtjes dat hij haar bijna niet kon verstaan.

De rest van de dag was voor hem bedorven. Jan-Joost liep rond met een gezicht op onweer. De meester gaf hem een preek over samenwerken. Sara zei niets meer tegen hem, Eugene bleef op de oppervlakte en zelfs Elise leek een beetje ontdaan te zijn.

Bob werkte de verplichte onderdelen af, maar niet meer met plezier. Hoewel alles lukte alsof hij altijd heel goed was geweest, had hij er geen zin meer in en hij was blij toen hij het laatste spel had gehad. Snel haalde hij zijn spullen bij elkaar en liep het veld af. Elise zou hij morgen wel weer zien. Of straks even op msn.

'Bob?'

Hij draaide zich om. Daar stond Sara. Ze liep moeilijk, haar enkel was echt opgezet in de loop van de dag. Ze keek een beetje bedrukt.

'Wat is er?'

Een paar tellen lang dacht Bob dat ze sorry zou zeggen. Zoals ze tegen hem uitgevallen was... Dat was toch wel een beetje stom geweest. Zijn mooie doelpunten en de hoge scores die hij op alle onderdelen haalde, kwamen in hem op en gaven hem een warm gevoel. Na die jaap en dat litteken op zijn wang had hij het sporten eraan gegeven, maar vandaag had hij ontdekt dat hij sporten wél heel leuk vond. Het was niet langer meer een kwestie van de geluksvrucht en de pitten die hij had gegeten. Hij had aanleg voor hardlopen en verspringen, en nu pas kwam dat echt naar buiten. Een glimlach speelde om zijn lippen – Sara kwam hem vertellen dat het haar speet. Maar toen ze haar mond opendeed, was dat om iets heel anders te zeggen.

'De drollenvangers hebben wat gemist. Je bent door de hondenpoep gegleden. Het zit aan de achterkant van je shirt.'

Bob gaf een kreet. Getverderrie!

'Je hebt precies gekregen wat je verdiend hebt,' snauwde Sara. 'Stront aan de knikker.' En met die woorden trekkebeende ze hem voorbij en zette koers naar huis.

'Waar is mama?' vroeg Bob toen hij 's avonds de keuken van het restaurant binnenliep. Zijn vader zag er warm en bezweet uit, omdat hij een hele berg pannenkoeken had gebakken die naar binnen moest.

'Die is naar de groothandel,' zei hij. 'Kun je dit even naar binnen brengen? Tafel zes, daar zit een clubje bejaarden.'

Bob keek verbaasd naar de stapel. 'Nou, die hebben wel honger zeg. Waarom serveer je ze zo, en niet per bord?'

Bobs vader grinnikte. 'Daar vroegen ze om. Een hele berg, en dus krijgen ze een hele berg.' Hij keek heel wat minder zorgelijk dan gisteravond. 'Mama zei dat ze een superplan heeft gekregen, en dat ze eerst wil kijken of het kan. Daarom is ze ook naar de groothandel.' Hij grijnsde breed. 'Ze zag het helemaal zitten.'

Bob pakte een keukendoek, tilde het hete bord van de warmhoudplaat en liep ermee naar binnen. Tafel zes. Een hele club bejaa...

Sjips. Daar zaten meneer en mevrouw Levis! Opeens kreeg hij het vreselijk warm. Help! Wat nu? Zouden ze iets weten?

Stel je niet aan, zei hij ferm tegen zichzelf. Niemand heeft je gezien, niemand heeft iets gemerkt. Hij slikte en liep naar de tafel.

'Goedenavond,' zei hij beleefd en hij hoopte dat hij het bord niet zou laten vallen van de zenuwen. 'Een berg pannenkoeken?'

De mensen aan tafel lachten toen hij het bord neerzette en de warmhouddeksel weghaalde. Vanuit zijn ooghoeken zag hij meneer Levis, die hem vriendelijk toeknikte. Hij herkende hem niet, gelukkig! Mevrouw Levis, aan de andere kant, keek even zuur als de eerste keer dat Bob haar gezien had.

'Eet smakelijk,' knikte hij keurig naar de gasten en hij maakte zich uit de voeten. Voor hij de keuken instapte, keek hij nog een keer achterom. Mevrouw Levis keek hem na. Haar bleke ogen bleven hem volgen totdat ze hem niet meer kon zien. Het liet een akelig gevoel na, dat Bob niet van zich af kon schudden. Een paar keer gluurde hij door een spleetje in de deur naar binnen en iedere keer leek het of mevrouw Levis hem zag en haar ogen hem doorboorden.

Brrr.

'Is er iets?' vroeg zijn vader.

'Nee,' zei Bob hoofdschuddend. 'Ik krijg gewoon de kriebels van die ouwe vrouw daar. Ze zit me de hele tijd aan te kijken.'

'Nou nou, een beetje rustiger mag wel. Er is toch niks mis met kijken?' zei Bobs vader opgeruimd. Hij gluurde ook even naar binnen. 'Ik zie niks raars hoor. Je verbeeldt het je maar.'

'Ja ja,' bromde Bob. 'Geloof je het zelf?'

Maar toen hij later het restaurant in liep om de menukaarten op te halen, keek mevrouw Levis niet één keer op. Misschien had zijn pa gelijk en dacht hij dingen te zien die er niet waren.

Zodra hij in de keuken terugkwam, vroeg hij: 'Kan ik gaan, pap? Ik moet nog huiswerk leren. En ik wil nog even msn'en.'

'Is goed. Bedankt, jongen,' knikte zijn vader en hij tilde de zware pannen op om ze af te gaan wassen. 'Ik red me hier verder wel.'

Sukkelbob: hoi elise.
Balletgirl: hoi bob.
Sukkelbob: hoe gaat t?
Balletgirl: goed. lekker wezen dansen vanmiddag.
Sukkelbob: ben je goed? ja zeker.
Balletgirl: ik mag meedoen met het showteam.
Sukkelbob: cool! kom ik een keer kijken, goed?
Balletgirl: ja hoor. waarom sukkelbob? je bent meer superbob.

Vind je dat? dacht Bob en hij voelde zich warm worden. Elise vond hem Superbob...

Balletgirl: je moet je naam veranderen.
Sukkelbob: dat kan ik toch niet zomaar doen?
Balletgirl: tuurlijk wel. je bent toch superbob! gewoon doen.

Sukkelbob: sukkelbob is er niet meer. ik ben voortaan superbob. goed idee! w8ff...

Meteen veranderde Bob zijn schermnaam. Elise had gelijk, waarom zou hij zich nog langer als sukkel aanmelden? Dat was toch voorbij?

Balletgirl: waar sloeg dat sukkelbob dan op?
Superbob: ik ben altijd hartstikke onhandig.
Balletgirl: heb ik niks van gemerkt.
Superbob: nou niet meer.
Balletgirl: hoe komt dat dan?

Daar moest Bob even over nadenken. Tja. Wat moest hij daar nou op antwoorden? Ik heb een paar pitten gegeten en nou ben ik een geluksvogel?

Superbob: kweenie. voel me goed en alles gaat ook goed.
Balletgirl: houen zo, dan. ik moet van de computer. mijn broer moet erop.
Superbob: ok. moet je nog leren?
Balletgirl: nee, alleen nog een keer doorlezen. jij?
Superbob: nee hoor. ik kijk gewoon bij de anderen af. ☺
Balletgirl: tot morgen.
Superbob: dag!

Met een tevreden tik sloeg Bob op de returnknop en zette de computer uit. Superbob. Dat klonk goed. Heel wat beter dan Sukkelbob!

Proefwerken en een ruzie

Er was iets gebeurd in de klas. De sportdag had een vreemde spanning achtergelaten, die de meester niet echt opmerkte, maar de kinderen des te meer. Jan-Joost voelde zich vernederd en iedereen kon zien dat hij zon op wraak. Sara was nog steeds niet afgekoeld en zei nauwelijks iets tegen Bob. Eugene en Elise deden gelukkig wel normaal.

'Jongens en meisjes, dit is de laatste proefwerkdag,' zei de meester om de ochtend mee te beginnen. 'Ik weet dat het lastig is na een sportdag, maar jullie moeten je vandaag nog één keer concentreren. We beginnen met taal, dan hebben jullie pauze en daarna ronden we het af met natuur. Ik verwacht van iedereen een superinzet, zodat we vanaf morgen met een goed gevoel andere dingen kunnen gaan doen.' Hij begon rond te lopen en legde op elke tafel een vel met opgaven neer. Toen iedereen een papier had, liep hij terug naar zijn bureau en knikte. 'Jullie kunnen beginnen. Veel succes.'

Bob draaide het papier om en begon te lezen. Spelling. Eitje. Vraag 1. Vul het juiste werkwoord in: Ik ... (vinden) het niet leuk als de zon zo ... (branden). Mijn neus ... (vervellen) en het ... (schrijnen) op mijn schouders.

Eh... ik vind... en dan de juiste vorm van branden... Brand? Brandt? En wat is nou weer schrijnen? Vervellen. Dat is niet zo moeilijk. Vervelt. Of is het verveld?

Bob knipperde met zijn ogen. Zo gemakkelijk als het van de week met geschiedenis ging, zo moeilijk vond hij dit. Hoe kon dat nou? Als er iets was waar hij goed in was, dan was het spelling! Hij hoefde daar ook helemaal niet voor te leren, want hij schreef het altijd zonder nadenken meteen goed op.

Oké, geen paniek. Even een dipje. Naar de volgende vraag en dan zo meteen deze nog een keer doen. Vraag 2. Vul de juiste letters in: produ...tie; a...lomeratie; a...ommodatie; chroni...; apati... Produktie. Of was het nou productie? Dat laatste dan maar. Maar wat bedoelden ze nou met die andere dingen? De woorden kwamen hem helemaal niet bekend voor. Hadden ze die woorden ooit gehad? Stilletjes keek hij opzij. Sara schreef stevig door, Eus poetste zijn bril, zette hem terug op zijn neus en ging weer verder en schuin voor hem zat Elise als een bezetene te pennen.

Een stille kilte kroop over Bobs rug. Dit kon niet. Waarom wist hij dit niet? Snel krabbelde hij wat neer. Vlug over naar vraag 3. Schrijf de betekenis van de volgende woorden op: vrijbuiter; uitbater; uitbuiting; uitzetting; ontzetting; ontzegging.

Uitbater? Wat was dat ook alweer? Zenuwachtig begon hij op een knokkel te kauwen. Verdikke! Het ging helemaal niet goed. Een vervelend gevoel begon in zijn maag op te spelen. Hij werd een beetje misselijk. Dit hele proefwerk dreigde één grote ramp te worden!

Eus en Sara legden gelijktijdig hun pen neer en schoven het proefwerk naar de hoek van de tafel. Sara keek opzij. Haar wenkbrauwen gingen omhoog in een vraag: lukte het?

Néé, dacht Bob angstig, het lukt helemaal, honderd procent, nada komma niks niet! Nerveus plukte hij aan zijn bril. Om hem heen hoorde hij het geluid van pennen die neergelegd werden, soms een opgeluchte zucht. Elise was ook klaar.

'Nog vijf minuten,' waarschuwde de meester. Vijf minuten? VIJF minuten! Bob keek verstard naar zijn proefwerk, waar de helft van de vragen nog niet van was ingevuld. Vlug, vlug, vlug. Dan maar gokken! Hij moest toch iets! Hij kalkte zo snel hij kon wat neer.

'En... pennen neer. De tijd is om,' zei de meester na wat

maar één minuut leek. Hij stond op en liep door de klas om de proefwerken op te halen. 'Zo, jongens en meisjes, dat was taal. Ga maar even lekker naar buiten, een half uurtje pauzeren. Daarna hebben we natuur, en dan is het gedaan.'

De leerlingen stroomden naar buiten, druk besprekend wat ze hadden ingevuld.

'Het was moeilijk,' zei Elise zuchtend.

Eugene knikte. 'Best wel. Maar ik denk wel dat ik het goed gemaakt heb. Alleen heb ik ontzetting en ontzegging door elkaar gehaald. Hoe heb jij het gedaan, Saar?'

Sara leek niet onder de indruk te zijn. 'Goed, denk ik. Ik vind taal nooit zo moeilijk.'

Bob zei niks. Hij slikte moeizaam. Het leek wel of de knoop in zijn maag naar zijn keel was verhuisd.

Sara was de eerste die het merkte. 'Bob? Hoe ging het bij jou?'

'Slecht,' kraste hij en hij moest eerst zijn keel schrapen. 'Ik wist helemaal niks meer. Ik was alles kwijt. Ik was echt alles kwijt. Ik heb meer dan de helft maar wat gegokt. En ik haalde het ook bijna niet, heb alles opgeschreven in de laatste vijf minuten.'

Alle drie keken ze hem verbaasd aan. 'Je bent altijd goed in taal,' zei Sara. 'Had je niet geleerd?'

'Jawel, maar...' Opeens zag hij zijn eigen woorden weer, die hij aan Elise had getypt: ik kijk gewoon bij de anderen af. Hij had eigenlijk geen fluit gedaan aan taal. Hij was er gewoon van uitgegaan dat hij alles zou weten omdat hij een Flora fortuna-pit had ingenomen. 'Ik heb het verknald,' zei hij somber.

Elise deelde uit van een rolletje pepermunt. Lusteloos stak Bob er eentje in zijn mond en opeens moest hij denken aan de kas waar ze met z'n drietjes bij meneer Levis hadden gestaan en ook pepermuntjes hadden gegeten.

'Hebben jullie vanavond zin om bij mij thuis een film te kijken?' vroeg Elise plots. 'Voor morgen hebben we toch geen huiswerk meer.'

Sara knikte. 'Leuk. Wat voor iets?'

'Mijn broer heeft een grote verzameling,' vertelde Elise, 'daar kiezen we dan gewoon iets leuks uit.'

'Ja, ik kom ook.' Bob voelde zich meteen een beetje opkikkeren. Hij mocht bij Elise thuis komen!

Elise vroeg of Eugene ook wilde komen. 'Mag dat wel van je moeder?'

Eugene knikte. 'Ik verzin wel wat. Trouwens, ze weten niet wie je bent en ik zeg niet dat Bob en Sara ook komen, dan valt er ook niks te mopperen. Welke dvd? Ik heb al wel veel gezien, want ik heb alles al.'

'Dat geeft niks,' viel Sara hem in de rede, 'want jij kijkt overal wel tien keer naar, dus dan kun je de ene film die wij uitkiezen ook nog wel een keertje extra zien.'

'Als je maar niet voorzegt wat er gebeurt,' waarschuwde Elise hem en Eugene grijnsde om haar vermanende gezicht. 'Dus, jullie komen? Zullen we zeggen om zeven uur? Dan hebben we tijd genoeg om een hele film af te kijken.'

Een kwartiertje later was Bob de ellende van het taalproefwerk bijna vergeten. Het vooruitzicht van een film kijken bij Elise had hem helemaal opgekikkerd. Toen de bel ging en de meester hen binnenliet, had hij zijn zelfvertrouwen alweer bijna terug.

'Dit is het laatste, dames en heren. Een rondje natuur. Het is niet makkelijk, dat kan ik nu al wel zeggen. Maar we hebben alles behandeld, dus als je goed geleerd hebt, moet het geen probleem zijn. Lees de vragen goed door en denk eerst na voordat je een antwoord opschrijft. Succes.'

Even keek Bob naar Eugene. 'Zet 'm op,' fluisterde Bob.

Bob draaide zijn papier om en tot zijn opluchting wist hij

meteen de eerste vraag al. Die ging over apen. Hij hoefde de vraag niet eens heel goed door te lezen.

Vraag twee ging over de kameleon. Geen probleem. Snel schreef hij op wat hij wist, plus nog wat extra informatie. Daar kreeg je wel eens een extra puntje voor omdat de meester ervan hield als je zelf dingen uitzocht.

Steeds als hij even opkeek, deed Eugene dat toevallig net ook. Hij keek opzij, en Eugene ook, en ze grijnsden een keer naar elkaar. Ze lazen en schreven zo'n beetje in hetzelfde tempo.

Vraag drie: het klimaat. Ha! Ook al niet moeilijk. Vanzelf rolden de woorden uit zijn pen en Bob wist dat het geluk hem nu niet in de steek liet. Geluk? Het was helemaal geen kwestie van geluk! Het was pure kennis, en hij wist alles, zo simpel was dat.

Vraag vier en vraag vijf waren ook een eitje. Hè, hè, wat een opluchting!

Bob keek het proefwerk nog eens door toen hij klaar was en legde een paar tellen na Eugene zijn papier op de hoek van de tafel.

Toen pas merkte hij dat de meester, die op zijn bureau zat, hem onderzoekend aankeek. Bob glimlachte naar hem, maar de meester lachte niet terug. Integendeel, hij keek nog bedenkelijker. Bob herkende de papieren die hij doorbladerde terwijl hij met één oog de klas in de gaten hield. Proefwerken! Hij kon niet zien of het de taalproefwerken van vanmorgen waren, of die van afgelopen dinsdag, maar de meester vond het blijkbaar reden om te fronsen.

Nou ja, geschiedenis en natuur had hij goed gemaakt, dat wist hij zeker. Uit zijn kastje haalde hij een stripboek en ging erin lezen totdat de meester aankondigde dat de tijd om was. De proefwerken werden opgehaald en er ging een zucht van verlichting door de klas. Hoera. De proefwerken waren voorbij!

'Vanmiddag gaan we lekker op ons gemak doen,' kondigde de meester daarna aan. 'Wie een leuke film thuis heeft, mag die meebrengen.'

'En? Hoe ging het nou?' vroeg Elise hem toen ze uitgelaten de klas uit liepen.

'Veel beter,' knikte Bob. 'Natuur wordt vast een dikke tien.'

'Zo zo.' Sara's stem was scherper dan gewoonlijk. 'Wat een bescheidenheid.'

'Ik wou dat je eens ophield met zo stom te doen,' beet Bob haar toe. 'Ik snap helemaal niks van jou! Waarom doe je zo? Omdat ik aandacht besteed aan Elise?'

Sara werd zo rood dat het vloekte bij haar rossige haar. 'Niet waar. Je bent gewoon heel vervelend aan het worden.' Ze trok een lelijk gezicht en imiteerde hem: 'Een dikke tien.'

'En als dat nou toevallig zo is?'

Eugene kwam naast hen lopen en zijn wenkbrauwen schoten achter zijn bril omhoog. 'Wat lopen jullie toch op elkaar te vitten!'

'Sara is jaloers. Stinkend jaloers,' gromde Bob.

'Bob vindt zichzelf Superbob,' knarste Sara terug. 'Hij heeft niet eens in de gaten dat hij zo debiel doet.'

Elise keek met grote ogen van Bob naar Eugene en Sara, en weer terug. 'Lopen jullie altijd zo te kibbelen?' zei ze en ze trok afkeurend haar neus op waardoor er kleine rimpeltjes verschenen.

Er kwam geen antwoord. Even dacht Bob dat Sara woedend uit zou vallen, maar ze slikte met tranen van woede haar woorden in en zo snel ze kon, sloeg ze af.

'Ze heeft wel een beetje gelijk, Bob,' zei Eugene langzaam toen ze zijn straat in liepen. 'Je doet een beetje raar. Zoals Jan-Joost altijd doet.'

Wat? Eus vond dat hij op Jan-Joost leek? 'En bedankt! Ik

ben niet zo'n arrogante kwal als Jan-Joost van Gameren, hoor!' riep Bob verontwaardigd. 'Doe niet zo achterlijk!'

Eugene deed wat hij altijd deed: hij haalde zijn schouders op en zei verder niks meer. Toen hij bij het witte hek kwam, drukte hij op de bel, waarna het hek geruisloos openschoof. De steentjes op de oprit knerpten onder zijn schoenen en hij keek niet één keer achterom.

De tafeltjes in de klas waren in een kring gezet, er stonden bakken met spekkies en er lagen zakjes chips klaar. De televisie stond al opgesteld, met de dvd-speler eronder. De rolluiken waren naar beneden, zodat het echt donker was in de klas, en de meester had een snoer feestlampjes opgehangen waardoor het heel gezellig was in het lokaal. Hij zette net een paar flessen cola en sinas klaar, toen de leerlingen van groep 7B binnenkwamen. Ze lachten en keken verrast rond.

'Welkom in Franks bioscoop,' schalde de meester en hij maakte een wijds gebaar. 'Kom binnen, kom binnen.'

Dat was het startsein voor een gezellige middag. De meester maakte een keuze uit de dvd's die de kinderen hadden meegebracht en zo keken ze met de hele club naar Johnny Depp, die als piraat door het leven ging. Het was bijna jammer toen de meester tegen het einde van de middag de rolluiken weer omhoog deed en de feestverlichting lostrok.

'Pas op, of ik rijg je aan mijn zwaard. Ik ben niet voor niets een piraat,' schalde Giovanni toen ze de trap af liepen.

'Dan ben ik de dochter van de gouverneur,' zei Elise en ze wuifde zich denkbeeldig koelte toe.

'Sloompies spelen toch alleen maar dienstmeisjes?' spotte Annabel achter haar hand tegen Mira. Elise keek hen koeltjes aan maar hapte niet.

'Ik ben Jack Sparrow, hoor,' waarschuwde Jan-Joost. 'Giovanni, kies jij maar een andere rol.'

'Ik word gewoon acteur, dan kan ik zelf kiezen,' kondigde Bob aan, waarop Annabel en Mira meteen begonnen te gillen van het lachen.

'Sukkelbob wordt acteur? Nou, dat zal volle zalen trekken! Lachfilms zeker?' Ze gierden het uit. Bob voelde zich rood worden. Even was hij zijn aandacht kwijt en meteen viel hij bijna van de trap. Hij kon zich nog net staande houden, sloeg haast zijn bril van zijn neus en voelde dat zijn mouw achter de leuning bleef haken. Dat was het teken voor Annabel om helemaal dubbel te slaan en haar vriendin om de nek te vallen. Jan-Joost glimlachte smalend.

'Sukkelbob, met in de hoofdrol... Sukkelbob Smelink!' zei hij.

Hè, leek het net weer goed te gaan, begonnen die klier met zijn vriendinnetjes weer zo vervelend te doen! Woedend rukte hij zijn mouw los en machteloos bleef hij staan wachten tot ze van de trap af waren.

'Die...'

Sara legde haar hand op zijn arm. 'Laat ze maar, niet reageren.' Hij keek op, verrast. Ondanks de gezellige middag had ze nog steeds niet veel gezegd en hij dacht dat ze nog steeds boos was.

'Die stomme...'

'Láát ze nou maar. Kom, ze zijn weg.'

Krrrrrattts. Zijn mouw was heel gebleven, maar de draagband van zijn rugzak bleef nu achter de trapleuning haken en met een overduidelijk geluid scheurde de rugzak open. De inhoud kletterde over de grond. Bobs etui sprong open en de potloden en pennen rolden alle kanten op, en de doos met stiften die hij van Elise had gekregen viel, waardoor het deksel eraf brak. Twee schriften fladderden naar beneden in het trappenhuis en kwamen een etage lager in de gang terecht. Sara zette een stap naar voren en kon nog net voorkomen dat zijn aardrijkskundeboek erachteraan vloog.

'Ah, nee hè!' Met een kreun begon Bob over de vloer te kruipen om zijn spullen bij elkaar te graaien, toen opeens een hand hem vastgreep bij zijn shirt en hem omhoogtrok.
'Hebbes! Dus jij bent het! Jij bent de dief!'
WAT?!

De man die hem zo ruw bij zijn kleren beetpakte, was Karthuis, de conciërge. Met verbazingwekkende kracht hield hij Bob stevig vast.
'Vertel op!'
'Laat me los!' piepte Bob en hij stribbelde tegen.
'Vooruit! Vertel op hoe je aan al die spullen komt.'
'Welke spullen? Wélke spullen!' schreeuwde Bob en Karthuis ontblootte zijn gelige tanden.
'Die stiftendoos, Smelink. Ik had het bij het rechte eind toen je dinsdag in de materiaalkamer stond rond te neuzen! Dat is een van de dingen die ik kwijt ben!'
'Daar heb ik niks mee te maken,' riep Bob en hij struikelde haast over zijn woorden. 'Ik heb helemaal niks gepikt. U moet mij niet hebben!'
'Dat zeggen ze allemaal,' was het weerwoord van Karthuis. Zijn vuist leek wel een bankschroef. De stof van Bobs shirt sneed in zijn hals.
In een flits herinnerde hij zich een van de eerste dagen dat Elise op school was, hoe ze terug was gegaan, het gebouw in, toen ze vroeg of ze naar de wc mocht. Het was zo makkelijk om dan even het materiaalhok in te schieten, want Karthuis liep vaak over het schoolplein in de pauze om alles en iedereen in de gaten te houden.
'Nou?' Spuug vloog uit Karthuis' mond en hij trok zo hard aan het shirt dat Bob de naden hoorde kraken. Het gezicht van de conciërge was akelig dichtbij.
'Elise! Vraagt het maar aan Elise, uit mijn klas! Van haar heb ik die stiftendoos gekregen. Misschien heeft Elise die stiftendoos wel meegeno...'.

Zijn woorden stokten in zijn keel. In zijn hoofd galmde de zin verder. Misschien heeft Elise die wel meegenomen. Ik heb die doos van haar gekregen, wilde hij zeggen. Maar dat kon hij niet want hij keek recht in haar gezicht.

Haar mooie snoetje veranderde in twee seconden van kleur. Ze werd vuurrood en haar lippen begonnen te trillen.

'Wat zei jij daar?' zei ze, zo zachtjes dat alleen Bob en Karthuis het konden verstaan. 'Wát was dat? Zei jij nou dat ik die doos gestolen heb?'

'Nee,' stamelde Bob geschrokken, 'dat bedoel ik niet zo! Ik wil alleen maar zeggen... ik... jij hebt mij... die stiften... ik... de materiaalkamer... ik bedoelde alleen maar...'

Karthuis' spiedende blik schoot van links naar rechts. 'Wie ben jij?' vroeg hij.

'Elise van der Toren. Ik zit in groep 7B,' zei ze met trillende stem. 'En die stiftendoos, Bob Smelink, komt uit de winkel van mijn vader. Hij heeft een zaak in tekenspullen, en wat je daar hebt gekregen, was een cadeautje. Hoe durf je zelfs maar te denken dat ik zoiets gestolen zou hebben? Omdat ik je verteld heb dat mijn moeder dingen meenam?' Haar stem was niet langer meer zacht. Schril weerkaatsten haar woorden tussen de muren van het trappenhuis. 'Ik heb nog nooit iets gepikt en ik zal het ook nooit doen! En je wilde nog wel met mij bevriend zijn! Nou, fijne vriend ben jij! Ik wil je nooit meer zien! NOOIT MEER, HOOR JE DAT?'

Ze schreeuwde de laatste zin en rende toen met klepperende slippers en doordringend gesnik de trappen af. Als aan de grond genageld keek Bob haar na. Dit was niet de bedoeling, o jee, nee. Wat was er toch aan de hand? Alles wat fout kon gaan, ging fout!

Karthuis liet Bobs shirtje los. 'Je kunt gaan,' gromde hij. Hij draaide zich om en schuifelde de gang uit. Bob bleef achter in de gang, waar een zacht kuchje hem op deed kijken. Het was

Sara, die met Eugene op het geschreeuw was afgekomen en alles gehoord had.

'Stommeling,' zei ze zachtjes en ze schudde verwijtend haar hoofd. 'Hoe krijg je het voor elkaar?'

Eugene wilde hem niet aankijken en begon zijn bril schoon te maken met een hagelwitte zakdoek. 'Dat sloeg nergens op,' hoorde Bob hem mompelen terwijl hij zijn aandacht bij zijn bril hield, 'en het was heel gemeen van je.'

'Ik...' Bob wist niet meer wat hij zeggen moest. Verknald had hij het, en niet zo'n beetje ook. Zwijgend raapte hij zijn spullen op en wikkelde ze in de losse flappen van zijn kapotte tas.

'Dit heeft iets te maken met die gelukspitten, hè?' zei Sara opeens. 'Je doet deze hele week al zo raar. Zie je nou dat het allemaal onzin is? Je hebt jezelf enorm in de nesten gewerkt.'

'Ik snap niet waar je het over hebt!' schreeuwde Bob.

'Nou, dan zou ik maar eens goed naar jezelf kijken. Je gedraagt je als een idioot, jongen. Je liegt tegen ons, je verzwijgt dingen voor ons, je beschuldigt Elise van diefstal... en al die tijd ligt het gewoon aan jou! Aan jou en aan niemand anders! Zou je niet eens heel gauw...'

Toen had Bob het helemaal gehad. 'Laat me met rust!' brulde hij en zo snel hij kon, rende hij de school uit.

Zijn schoenen roffelden op de stoep toen hij door de hete middagzon naar huis draafde. Dit was niet wat hij had willen zeggen. De week was zo goed begonnen, en nu dit? Waarom had hij zelfs maar Elises naam genoemd? Hij had toch gewoon kunnen zeggen dat hij niets gestolen had? Was het zo moeilijk om te zeggen dat het een cadeau was, dat hij die doos van iemand had gekregen? Karthuis had hem waarschijnlijk niet geloofd, maar de conciërge zou toch nooit kunnen bewijzen dat dat niet zo was. Waarom had hij uitgerekend Elise zo'n pijn gedaan?

Sara's woedende gezicht kwam keer op keer in hem op. Weer hoorde hij wat ze gezegd had: je liegt tegen ons... je beschuldigt Elise van diefstal... je hebt jezelf enorm in de nesten gewerkt... Sara had verdraaid goed in de gaten wat er aan de hand was. Hij had alles ontkend, maar ze had het beter geraden dan ze zelf wist. Ze had maar al te goed in de smiezen dat al die gebeurtenissen van deze week niet normaal waren.

Waarom?

Was er iets mis met die pitten? Had hij er eentje genomen die niet goed werkte of zo?

De rest van de dag voelde Bob zich beroerd. Hij schaamde zich vreselijk, maar hij wist niet wat hij moest doen. Toen zijn vader informeerde of alles in orde was, verzon hij een smoesje en zei dat hij hoofdpijn had van de warmte. Zo snel hij kon sloop hij de keuken uit en verschanste hij zich in zijn kamer.

Met zweterige handen ging hij achter zijn computer zitten, maar Elise was natuurlijk niet op msn. Sara wel, maar die gaf geen antwoord toen hij haar een berichtje stuurde. Het poppetje sprong op 'afwezig'. Natuurlijk, dacht hij wrang, Eus en Saar zitten bij Elise. Ze zouden een dvd gaan kijken, maar in plaats daarvan zou het wel de hele avond over hem gaan.

Over hoe hij Elise had beschuldigd. Sara zou ongetwijfeld alles vertellen wat ze wist, over de Flora fortuna, de gelukspitten en wat zij van zijn gedrag vond.

Hij zette de computer in de nachtstand en kroop in bed.

Voor het eerst die week begon er wat te knagen aan zijn geloof in de kracht van de gelukspitten.

Diepe ellende

Als Bob verwachtte dat hij na een nachtje slapen wel wist wat hij moest doen, vergiste hij zich toch. Zeker vijf keer was hij wakker geworden. Hij had gedroomd over Elise, die met een betraand gezicht was weggerend en over Eus en Sara die een groot bord hadden gemaakt waarop stond dat hij een leugenaar was.

Er hing een vieze geur in zijn kamer. Bah. Het kwam uit de prullenbak. Toen Bob het deksel eraf tilde, zag hij dat het overblijfsel van de geluksvrucht lag te beschimmelen en de geur die eraf kwam was niet te harden. Hij duwde snel het deksel weer terug en bracht de prullenbak naar de garage. Zijn vader zou hem straks leeggooien in de kliko. Dan was hij die stank ook kwijt.

Er stond een stapeltje boterhammen voor hem klaar in de keuken en er lag een briefje naast. *We zijn naar de groothandel. Tot vanmiddag. Mam & Pap.*

Zijn ouders waren dus al voor dag en dauw vertrokken. Dat gebeurde wel eens vaker, maar dit keer wist hij het niet van tevoren. Waarschijnlijk hadden ze dat gisteravond willen vertellen, maar toen lag hij natuurlijk al in bed.

Aan de ene kant zou hij willen dat hij zijn hart bij hen kon uitstorten, aan de andere kant was hij blij dat ze er niet waren. Dan hoefde hij ook geen vervelende vragen te beantwoorden. Bob zuchtte diep. Het deed pijn van binnen, alsof hij heel hete thee had gedronken. Maar het was geen thee, het was het schrale gevoel van zenuwen en schaamte.

Dadelijk op school... hoe zouden ze dan reageren? Zijn vrienden zouden hem mijden, Elise zou hem niet meer aankijken en vast en zeker wist de rest van de klas het hele verhaal ook al. De rest van de klas? De hele school waarschijnlijk!

Bob wachtte zo lang hij kon, maar Sara kwam hem niet ophalen. Snel liep hij in zijn eentje naar school.

Eén ding was hem duidelijk geworden: hij moest Elise zijn excuses aanbieden. Het speet hem vreselijk, en doordat hij zich nu zo ellendig voelde, was hij weer net zo onhandig als gewoonlijk. Struikelend over zijn eigen voeten kwam hij de klas binnen, hij trok het laatje uit zijn tafel waardoor de inhoud op de grond kieperde, hij stootte een beker water om bij het verven van een poster, de kraan spoot alle kanten op zodat het eruitzag alsof hij in zijn broek geplast had...

'Sukkelbob is weer in het land,' zei Jan-Joost smalend. Hij wist natuurlijk niet precies wat er gaande was, maar hij had wel iets in de gaten. Je moest wel gek zijn om het niet te merken: Sara, Eugene en Elise sloten hem buiten en dat was heel ongewoon.

'Wat is er?' fluisterde Jan-Joost in zijn oor toen hij probeerde om een verfklodder van zijn shirt te vegen. 'Ruzie in de bolle-sukkel-kakkerclub?'

'Hou je kop,' gromde Bob, die zijn haren overeind voelde schieten. Het spottende lachje van Jan-Joost klonk nog na in zijn oren toen die allang weer op zijn plek zat.

'Bob, Eus, kunnen jullie even meekomen?' Onverwachts riep de meester de twee jongens mee de gang op. Hij duwde de deur achter hen dicht en keek hen beiden streng aan.

'Wat is hier aan de hand?' vroeg de meester en hij tikte met zijn vlakke hand op twee vellen, die Bob herkende als proefwerkpapier. 'Hoe kan het dat jullie precies, maar dan ook precíés dezelfde antwoorden hebben gegeven bij het natuurproefwerk?'

Wat niet vlug gebeurde, gebeurde nu wel. Op het rustige gezicht van Eugene verscheen een blos. 'Wat bedoelt u?' zei hij.

'Wat ik bedoel? Eus, wat heb jij bij de vraag over de kameleons geschreven?' was de wedervraag van de meester.

'Ik heb extra's opgeschreven,' antwoordde Eugene een beetje verbaasd. 'Een stukje over de roltong, die wel vijftien centimeter lang kan worden en kleverig is, zodat hij daarmee insecten op afstand kan vangen. Ik heb dat op Discovery Channel gezien. En ze hebben speciaal gevormde tenen, waarmee ze zich goed kunnen vastgrijpen aan takken.'

'Juist ja. Bob, wat heb jij voor extra's opgeschreven bij de insecten?'

Huh? Wat wilde de meester nou weten? Bob begon te stotteren en pijnigde zijn hersens om het antwoord te herinneren dat hij had gegeven. Wat had hij eigenlijk opgeschreven? 'Dat... d-d-dat er heel veel zijn...' verzon hij.

'Juist. Eus, je hebt iets geschreven over het klimaat. Wat was jouw extra informatie daarbij?'

Eugene hoefde niet eens na te denken. 'Ik heb geschreven dat er stukken afbreken van onder andere de Noordpool, en dat die stukken wel zo groot kunnen zijn als een hele provincie van Nederland. Dat daardoor het niveau van het zeewater stijgt en...'

'Stop maar,' zei de meester en hij wendde zich opnieuw tot Bob. 'En Bob, vertel me eens, wat is een mandril?'

Een mandril? Wat was in hemelsnaam een mandril? 'Een mandril... is een... eh... een, eh... ik... ikke...'

De meester liet hem een lange minuut staan stamelen en stotteren. Toen maakte hij er met een resoluut handgebaar een einde aan. 'Hou maar op. Ik weet al wat er gaande is. Bob, je hebt alles overgeschreven van Eus. Er staat letterlijk wat er ook op Eus' proefwerk staat en dit bewijst wel dat je zelf niet één ding hebt opgeschreven zonder bij Eus af te kijken.'

'Maar...'

'Hoe je het gedaan hebt weet ik niet, en dat interesseert me ook niet. Normaal houd ik een regel aan met spieken, dat weten jullie, hè? De spieker krijgt een 1, maar ook degene bij wie gespiekt wordt. In dit geval maak ik een uitzondering. Eus, je krijgt geen onvoldoende, maar meer dan een zes zit er niet in.' Hij knikte Eugene toe, die nog steeds dezelfde vreemde blos op zijn wangen had en knarsetandend naar Bob keek. 'Eus, ga maar terug naar de klas. Het is goed zo.'

En toen gebeurde er iets onverwachts. Eugene werd woedend en stampvoette van boosheid.

'Nee!' barstte hij uit. 'Het is niet goed zo! Hoe haal je het in je botte kop, Bob Smelink? Ik heb dat proefwerk hartstikke goed gemaakt, dat weet ik zeker. Ik heb er goed voor geleerd en alle extra's die ik wist opgeschreven. En nou krijg ik een zesje, omdat JIJ bij mij hebt zitten spieken? Ik dacht dat wij

vrienden waren, maar ik heb me vergist. Nou, goed dan. Ik heb liever helemaal geen vrienden dan nog een minuut langer met zo'n loser als jij op te trekken.' Hijgend bleef hij twee tellen doodstil staan, toen draaide hij zich om en beende het lokaal weer in. Het raampje boven de deur trilde toen hij die achter zich dichtsmeet.

'En, Bob? Wat heb je daarop te zeggen?'

Sprakeloos was Bob. Hij hád niet afgekeken! 'Ik weet het niet, meester,' fluisterde hij hees. 'Ik snap er niks van. Ik heb niet gespiekt. Ik snap echt niet hoe het komt dat we dezelfde antwoorden hebben.'

'Ik wel,' zei de meester onverstoorbaar. 'Je hebt afgekeken. Het was zojuist heel duidelijk dat Eus wist waar hij het over had, en jij niet. Je staat te liegen. Eus niet, en ik zag ook wel dat hij niet wist dat jij bij hem afgekeken had. Daarom kreeg hij nog wel een voldoende. Maar je hebt wel gehoord wat hij ervan vond.'

Verslagen schudde Bob zijn hoofd. 'Ik begrijp het niet,' bracht hij met moeite uit.

'Dat is niet het enige,' ging de meester door. 'Je taalproefwerk heb je ook al verprutst. Daar kon ik niet meer dan een drie voor geven.'

Een drie? Verbijsterd keek Bob de meester aan. 'Ik wist wel dat ik het niet goed gemaakt had, maar...'

'Het proefwerk van dinsdag heb je wel goed gemaakt,' viel de meester hem in de rede. 'Heel goed zelfs. Daarom vermoed ik dat er meer aan de hand is. Zoals afgelopen woensdag met sporten – je was zo fanatiek dat het echt opviel.'

'Het ging zo lekker die dag,' zei Bob mat. Maar naderhand had ik ruzie met Sara en Eus, dacht hij erachteraan.

'Luister eens, Bob,' zei de meester niet onvriendelijk, 'ik weet niet precies wat er aan de hand is tussen jou en je vrienden. Wat ik wel merk, is dat het invloed heeft op jouw prestaties en dat is niet goed. Doe er iets aan. Praat het uit. Los het op. Ik merk ook...' Hij pauzeerde even om zijn woorden goed te laten doordringen. 'Ik merk ook dat jij je op je huid laat zitten door een paar kinderen uit de groep. Je hebt je daar nooit door laten afschrikken en het is dom als je dat nu toch gaat doen.'

Bob knikte stilletjes. De meester had precies zijn vinger op de zere plek gelegd.

'Je kunt gaan. Ik ga nog eens even goed nadenken of ik je ouders hierover zal bellen. Een misser is altijd mogelijk, maar spieken en erover liegen, dat kan niet.' De meester draaide zich om en liep terug naar de klas.

Bob bleef stil staan. Misschien mocht hij wel op de gang blijven. Hij kon Eus niet onder ogen komen, dat kón hij gewoonweg niet.

'Binnenkomen, Bob,' zei de meester vanuit de deuropening. 'Je kunt toch niet weglopen voor je problemen.'

Nog nooit had Bob zo veel ogen op zich gericht gezien, en ze keken allemaal met de grootste minachting naar hem. Diep ongelukkig schoof hij stilletjes aan zijn tafeltje, trok een vel papier uit zijn kastje en boog zich over een tekening. Een stiekeme blik opzij liet hem Eugene zien die demonstratief met zijn rug naar hem toe zat. Sara werkte aan haar poster en deed net of ze niet merkte dat hij naar haar keek. En Elise? Die zat met opgetrokken schouders te lezen en sloot de wereld buiten.

'De bolle-sukkel-kakkerclub is uit elkaar gevallen,' hoorde hij heel zachtjes achter zich zeggen. Hij hoefde niet over zijn schouder te kijken om te zien wie dat was. Jan-Joost zat zich, duidelijk merkbaar voor iedereen, te verkneukelen. Hij had wraak gewild voor de sportdag waarbij Bob hem te kijk had gezet – nou, hij had zijn zin. Het ergste was dat Jan-Joost daar niets voor had hoeven doen. Bob had zichzélf voor gek gezet.

Wat een ellende. Wat een doffe ellende. Bob kéék de wijzers van de klok bijna vooruit en voordat de bel goed en wel was gegaan, stond hij al op en maakte hij dat hij de klas uitkwam. Hij rende voor de anderen weg om maar zo snel mogelijk thuis te zijn.

Zo snel mogelijk thuis zijn? Dat is niet waar, begon het stemmetje vanbinnen weer. Daar gaat het niet om – je wilt gewoon de anderen ontlopen. Je kunt Eus en Sara niet meer onder ogen komen, en Elise heeft je niet één keer aangekeken.

Wat moet ik dan? vroeg Bob zich vertwijfeld af. Driftig veegde hij een traan van zijn wang. Niemand hoefde te zien hoe miserabel hij zich voelde.

Gewoonlijk vond Bob het leuk als zijn ouders er waren als hij tussen de middag thuiskwam. Ze aten dan samen brood in de gezellige keuken en hij vertelde wat over school. Nu was hij blij dat ze nog niet thuis waren. Hoefde hij tenminste niet te praten over vanmorgen. Net toen Bob in de koele keuken een beker karnemelk achterover klokte, ging de bel.

Met tegenzin liep hij naar de voordeur, trok hem open en keek recht in het gezicht van een bejaarde man.

'Meneer Levis!' Zijn adem haperde even, zo schrok hij.

'Goeiemiddag. Jullie zijn vast nog gesloten, maar ik denk dat ik mijn pasje hier heb laten liggen,' begon meneer Levis. 'Tenminste, dat zal ik tegen je ouders zeggen als ze vragen wat ik kom doen. Maar jij weet wel beter, nietwaar?'

Bob zette geschrokken een paar stappen achteruit. Hij keek in de blauwe ogen van de oude man, die minder krom en rimpelig leek dan de laatste keer dat Bob hem gezien had. Meneer Levis streek rustig zijn haar glad en zei toen met kalme stem: 'Je hebt een grote fout gemaakt, m'n jongen.'

M'n jongen? Waar had die man het over? Bobs wereld was in elkaar gestort en hij moest luisteren naar een ouwe kerel die zanikte over iets onduidelijks?

'Wat zegt u?' Een beetje ongeduldig bleef Bob staan. Het liefst had hij Levis naar buiten gebonjourd. En dan zelf meteen door naar boven, deur dicht – bam – en dan zijn bed in. Met zijn hoofd onder het kussen, en nergens meer aan denken. De hele schandelijke vertoning van vandaag zo diep mogelijk begraven, dat was wat hij wilde.

Maar meneer Levis had andere plannen.

'Wanneer voelde je je het best, Bob? Bij de eerste twee pitten, net zoals mijn vrouw? En begon het daarna af te nemen, dat geweldige gevoel, dat gevoel waarbij je denkt dat je wel haast uit elkaar knalt van geluk?'

Watte...?

'Ga zitten, jongen,' zei meneer Levis en er was iets in zijn stem waardoor Bob gehoorzaamde. De oude man was neergestreken op een restaurantstoel en Bob ging tegenover hem zitten.

'Ik zal je een verhaal vertellen,' begon meneer Levis. 'Luister goed, misschien kan het je helpen.' Uit zijn zak haalde hij een beduimelde envelop met een pak foto's erin. Hij legde ze voor Bob neer op tafel.

Foto's? Wat moest hij daar nou mee? Maar toen Bob beter keek, zag hij het echtpaar Levis. Tenminste, hij dacht dat ze het waren. Ze waren jong en lachten, mevrouw Levis was een knappe vrouw met een adembenemende lach. Meneer Levis was veel slanker en had dik bruin haar dat in zijn ogen waaide en dat hij lachend opzij streek.

'Wat moet ik hiermee?' vroeg Bob.

'Dat is mijn levensverhaal. Met foto's kun je aardig wat herinneringen ophalen. Erg handig. Ik heb ze meegenomen zodat jij kunt zien wat ik je ga vertellen.' Met zijn wijsvinger tikte hij op een van de kiekjes. Het was een foto van een groepje mensen in tropenkleren die door een dichtbegroeid bos worstelden.

'Twintig jaar geleden gingen mijn vrouw en ik naar Zuid-Amerika. We waren op expeditie in Paraguay, diep in de dichtste jungle die je je maar kunt voorstellen, toen we een ernstig gewonde jongen vonden. Zo te zien was hij van een steile helling afgerold. Mijn vrouw en ik namen hem onder onze hoede. We sloegen ons kamp op aan de rivier en verzorgden hem zo goed als we konden.'

Op de foto zag Bob hen sjouwen met een zelfgemaakte brancard. Er lag een jongen op die er heel bleek en zwak uitzag. Op de achtergrond zag hij dikke struiken en gebladerte en het gezelschap was gestopt bij een open plek, bij de bedding van de rivier.

'Wie zijn die andere mensen?' vroeg Bob, wijzend op een stuk of vijf mannen die ook te zien waren.

'Ze hoorden bij de expeditie. We waren op zoek naar een nieuwe plantensoort.' Meneer Levis wreef over zijn ogen. Zijn stem daalde een beetje. 'Na drie dagen werd de jongen wakker. Hij had het overleefd, dankzij de goede zorgen van mijn vrouw. Ondanks zijn zware verwondingen was hij erbovenop gekomen. Je begrijpt waarschijnlijk wel wat er gebeurde. Het was belangrijk dat we zijn stam terug zouden vinden, zodat hij naar huis terug kon.'

Bob knikte en keek naar de jongen. Hij was best knap, met dik, ravenzwart haar en een glanzende huid. Zijn arm hing in een draagdoek en een van zijn benen was gespalkt.

'De jongen heette Hitè. Hij hoorde bij een stam die de Myro genoemd werd. Op zijn aanwijzingen vonden we het dorp waar hij woonde. Je snapt dat de mensen daar huilden van blijdschap, en dat we werden ontvangen als koningen toen we daar met Hitè tussen ons in het dorp in kwamen.'

Hij pakte een andere foto waarop mensen te zien waren die juichten en joelden van geluk, hun armen in de lucht gooiden en elkaar om de nek vielen van blijdschap. Een grote man en zijn al even lange vrouw kwamen tussen de dansende mensen door naar voren lopen.

'Dat is Marabe, de vader van Hitè. En die dame is zijn moeder,' ging meneer Levis verder. 'Ze konden van geluk minutenlang niet spreken, zo vreselijk blij en dankbaar waren ze. We werden overladen met geschenken en het was wel een week lang feest in het dorp. De rest van de expeditie verliet ons om verder te gaan, en wij bleven om meer te leren van en over de Myro. Het was er heerlijk. De mensen waren zeer vriendelijk en behulpzaam. We hebben er meer dan een jaar gewoond.'

Meneer Levis ging wat achterover zitten. Hij likte aan zijn lippen, waarop Bob twee glazen water haalde. Hoewel Bob eerst helemaal niet had willen luisteren, kon hij toch niet zomaar weglopen. Hier zou over de oorsprong van de geluksvrucht worden verteld, en hij was daar heel nieuwsgierig naar. Bovendien had meneer Levis een manier van vertellen die maakte dat je blééf luisteren, tegen wil en dank.

'Op een dag kwam mijn vrouw bij een kindje dat erg ziek was. Het meisje had een of andere infectie opgelopen en zou zeker gestorven zijn als mijn vrouw haar geen penicilline had gegeven.'

'Wat is dat ook alweer?'

'Antibiotica. Daar kun je ontstekingen en zo mee bestrijden. Bij ons is dat goed te krijgen, maar daar kennen ze dat natuurlijk niet. Hoe dan ook, het meisje knapte heel snel op en mijn vrouw kreeg ontzettend veel aanzien. De mensen in het dorp keken naar haar op, vereerden haar bijna.'

Bob zag foto's van hoe mevrouw Levis lachte en praatte met de vrouwen in het dorp, en hoe zieke kinderen werden gebracht, die ze dan onderzocht. 'Ze lijkt wel een dokter,' mompelde Bob.

'Dat dachten de Myro ook. En zo werd mijn vrouw bijna gebombardeerd tot medicijnman... medicijnvrouw. Ze was vroeger verpleegster, dus ze wist natuurlijk ook heel veel, en we hadden best een hoop medicamenten bij ons. Iedereen was blij met haar behalve...'

'Behalve zeker de échte medicijnman,' raadde Bob en meneer Levis knikte.

'Precies. Toen de zieken bij hem wegbleven en bij ons kwamen, nam hij wraak op mijn vrouw door haar een Flora fortuna te geven.'

'Maar... als dat een geluksplant is kun je dat toch geen wraak noemen?'

'Dat zou je denken, ja.' Op het gezicht van meneer Levis kwam een trieste uitdrukking. 'Het werkt zolang je het niet voor jezelf blijft houden. Daarom vroeg ik je net wanneer je je het beste voelde.'

'De eerste keer,' antwoordde Bob stellig. 'Het was zo cool om opeens niet meer zo'n stuntel te zijn, toen ik die tennisbal van Jan-Joost precies in de hoepel gooide en ik Eli... Ik bedoel, er kwam een nieuw meisje in de klas en die vond mij aardig. Alles leek te lukken die dag.'

Meneer Levis volgde met zijn vingers het patroon van het tafelkleed.

'Zo was het met mijn vrouw ook. Ze at zo'n pit op en wat er toen gebeurde... Iemand in het dorp kreeg blindedarmontsteking. Zonder echt precies te weten hoe het moest, besloot mijn vrouw hem te opereren. En... het lukte wonderwel. Het was onbeschrijflijk. Ik zag haar gloeien, het was haast alsof ze licht gaf.' Hij wiebelde met zijn hoofd.

'Er gebeurden nog meer bijzondere dingen. Wat leek op wonderbaarlijke genezingen, maar ook andere dingen die opeens allemaal klopten. Als stukjes van een puzzel die precies in elkaar pasten.'

Bob knikte instemmend. Zo was het bij hem ook geweest.

‘Een paar dagen later, toen de kracht van de eerste pit was afgenomen, ging het fout. Zie je de bui al hangen? Mijn vrouw was ervan overtuigd dat ze die pitten nodig had om te slagen.’

Bob dacht er even over na. Meneer Levis zocht tussen de foto’s en legde er daarna eentje voor hem neer. Hij zag mevrouw Levis, die er opeens niet meer zo jong en fleurig uitzag. ‘Maar... u zei dat ze verpleegster was geweest. Ze kon die dingen toch ook zónder zo’n pit?’

Meneer Levis knikte instemmend. ‘En zo is dat, jongen. Dat heb je goed opgemerkt. Ik zag haar helemaal bezeten raken van die dingen. Ze kon niet meer werken zonder een of twee pitten te hebben ingenomen en als ze waren uitgewerkt, haastte ze zich om weer nieuwe te zoeken. Aan de rand van het dorp was een Flora fortuna-veld en mijn vrouw zat op den duur meer daar dan in haar hut. Het leek wel of zij opgevreten werd door die pitten, in plaats van die pitten door háár. Ze werd steeds magerder en ze kon maar aan één ding denken!’

‘Was ze verslaafd?’ fluisterde Bob. ‘Wat gebeurde er toen? Hebt u niet geprobeerd om haar eraf te helpen?’

‘Natuurlijk wel,’ antwoordde meneer Levis heftig. ‘Ik heb haar gevraagd, bevolen, gesmeekt om ermee op te houden. Maar wat ik ook deed, ze hield niet op. Ze wist zeker dat alles wat ze opgebouwd had in elkaar zou storten als ze die pitten niet at. Zo zei ze het natuurlijk niet, hoor. Prachtige uitvluchten verzon ze. Dat ze zich door die pitten beter kon concentreren, of dat ze prima tegen een lege maag hielpen. Nou, dat deden ze. Ze is nog steeds broodmager.’

Hij wees naar een andere foto. Bob zag hem en mevrouw Levis, die inderdaad was afgevallen, op het vliegtuig stappen.

‘Marabe en ik spraken erover. Hij wist ook dat het waar was. “Je vrouw denkt dat ze medicijnvrouw is door die pitten, terwijl ze dat is door haar kennis en eigen kracht,” zei hij. Geluk kun je niet afdwingen. Gelukkig zijn kun je alleen maar als je er zelf moeite voor doet.'

Zoiets zei Sara ook, dacht Bob.

'Ik besloot dat we terug moesten naar Nederland. Mijn vrouw stribbelde eerst tegen, maar ging uiteindelijk akkoord. Marabe gaf me poeder mee in een zakje. Als mijn vrouw niet meer zonder leek te kunnen, kon ik haar daar een beetje van geven. Net voor we op het vliegtuig stapten, bracht Hitè me nog op een idee. Het verwoestende effect op jezelf werd minder als je een ander geluk schonk, zei hij. Misschien dat dat zou helpen?'

'En?'

'Het was een moeilijke tijd voor ons allebei. Het leek wel of mijn vrouw gek werd als ze niet van dat poeder kreeg. Totdat ze op een dag weer met die gelukzalige lach rondliep.'

Ieh! Alsof hij zich eraan brandde, liet Bob de foto vallen. Er kwam zo'n scherpe herinnering in hem op, dat hij zijn ogen dicht moest knijpen. Hij zag zichzelf. Daar, dat was hij! Als een idioot liep hij rond te rennen op een sportveld, terwijl Eus en Giovanni er geërgerd en nutteloos bij stonden te kijken. Het volgende beeld was het moment waarop hij tegen Sara had gezegd dat ze jaloers was. Hij zag zichzelf, terwijl hij tegen Karthuis zei dat Elise die stiftendoos had gepikt. Het woedende gezicht van Eugene, omdat hij precies dezelfde antwoorden had in zijn proefwerk, verscheen daarna. Daar snapte hij helemáál niks van – het leek wel een soort... duistere magie! En toen de ontluistering van het taalproefwerk en het verpletterende gevoel dat hij kreeg van de meester. Hij schrok van zijn eigen gezicht, dat er verwrongen en grimmig uitzag.

Pas toen hij een zacht klopje op zijn hand voelde, deed hij zijn ogen open en knipperde tegen het licht.

'Gaat het wel, jongen?' vroeg meneer Levis vriendelijk.

'Waar dacht je aan?' Toen Bob niet direct antwoord gaf, vulde hij zijn vraag zelf in. 'Ik denk dat je jezelf zag op school en met je vrienden. Klopt dat?'

Bob knikte verward. 'Wat een klerezooi,' mompelde hij bedrukt. 'Heb ik echt zo gedaan?'

Meneer Levis nam een slok water. 'Ja. Maar als ik me niet vergis is er een ander moment, dat óók heel belangrijk was.'

Bob sloot zijn ogen en liet zijn gedachten teruggaan. Daar was zijn moeder, die met een peinzend gezicht over folders zat gebogen, met naast haar een dikke stapel rekeningen. Op haar mooie gezicht verscheen opeens een brede lach, waarna ze fanatiek begon te krabbelen op een grote blocnote. Op tafel stond een mok koffie met een schoteltje, waar eerder een bonbonnetje op gelegen had. De bonbob, met het pitje erin.

'Mijn moeder... ik had haar een pit gegeven, zodat ze iets zou kunnen bedenken. En haar idee voor het nieuwe pannenkoekenbakken was geboren.' Hij keek op naar de oude man. 'TOEN voelde ik me goed. Toen ik naar boven liep. Ik wist dat het goed zou komen, dat de pit zou helpen, dat ze een goed plan zou krijgen en dat ze door konden gaan met wat ze leuk vinden: het pannenkoekenhuis.'

Nu kwam er een tevreden glimlach op het gezicht van meneer Levis. 'Juist. Ik wilde dat je je dát zou herinneren, en gelukkig heb je dat zojuist gedaan.' Hij stond op. 'Hè hè, even de benen strekken. Wil je weten hoe het verder is gegaan met mijn vrouw?'

Bob knikte.

'Wat ik niet wist, was dat ze een Flora fortuna-pit had meegenomen naar Nederland. Ze stopte hem in een pot, zette die in de kas die we al hadden en na een tijdje begon er een plantje te groeien. Ze had er natuurlijk al van gegeten zodra er een vrucht aan zat. Sindsdien houd ik dat ding met argusogen in de gaten. Bloeit er een bloem, dan waak ik erbij en pluk ik die voordat de vruchten ontstaan.'

‘Waarom hakt u die plant niet gewoon om?’ riep Bob uit. ‘Dan bent u overal van af en moet uw vrouw wel zonder doen!’

‘Dat gaat niet,’ zei meneer Levis en hij schudde triest zijn hoofd. ‘Ik heb het een keer geprobeerd. Ze werd zo ziek dat ik dacht dat ze zou sterven. Ik heb Hitè erover gesproken. Hij zei dat de plant pas zou sterven als mijn vrouw zou sterven.’

Bob was er stil van. Het was moeilijk te begrijpen.

‘Wat ingewikkeld,’ zei hij na een tijdje. ‘Wat doet u met de vruchten?’

‘Die verbrand ik. Dat is de enige manier om ervan af te komen. Af en toe vermaal ik van eentje de pitten, tot het net zulk poeder is als ik gekregen heb van Marabe. Daar stop ik dan een beetje van in het eten bij mijn vrouw, waardoor ze gezond blijft.’

‘En als... Wat nou als u haar iets geeft waardoor ze dénkt dat ze zo’n pit krijgt?’ vroeg Bob, maar meneer Levis schudde zijn hoofd.

‘Dat heb ik ook geprobeerd. Ik snap het zelf ook niet. De Flora fortuna-vrucht heeft magische kracht, denk ik wel eens. Iets wat ervoor zorgt dat je het nodig blijft hebben, zelfs als je weet dat het niet goed voor je is. Voor mijn vrouw was het al te laat – ze zal nooit meer zonder kunnen.’

‘Hebt u er nooit van gegeten?’ vroeg Bob plotseling en meneer Levis stak zijn vinger op ten antwoord.

‘Eén keer. Het was geweldig en ik wist meteen dat het fout zou gaan als ik er nog eentje innam. Ik heb het afgezworen op het moment dat ik dat besefte.’

Hij begon naar de deur te lopen.

‘Bob, je kunt nog kiezen,’ zei hij, opeens van toon veranderend. ‘Als je goed geluisterd hebt, weet je wat je moet doen. Veel geluk.’

Een geluksjunkie

Die middag probeerde Bob een gesprek aan te knopen met Elise, maar die liep snel weg zonder ook maar naar hem te kijken. Eugene wierp hem welgeteld één woedende blik toe en keerde zich daarna van hem af. Sara keek stug weg met een gezicht dat op hagel en onweer stond. De moed zonk Bob in de schoenen. Hoe moest hij dit ooit opknappen?

Zoals te verwachten ging alles nog slechter dan slecht. De veter van zijn gymp brak, waardoor hij steeds zijn schoen verloor. Hij stootte de koffie van de meester om. Een pagina van zijn atlas scheurde toen hij erachter bleef haken met zijn horloge. Toen hij de luxaflex omlaag liet, schoot één kant los en kletterden de metalen lamellen tegen hem aan. Met een pijnlijk gezicht keek hij op, precies in het grijnzende gezicht van Jan-Joost.

'Sara!' riep hij toen de bel was gegaan en er eindelijk een einde was gekomen aan de lange, lange middag. Hij rende haar achterna en legde zijn hand op haar arm. 'Wacht nou even! Ik móét je spreken.'

'Laat me met rust,' zei ze vlak en ze trok haar arm los.

Achter hem hoorde hij spottende geluiden en smalend, onderdrukt gelach. 'De bolle laat de sukkel eindelijk ook vallen. Misschien is ze toch slimmer dan we denken,' zei een bekende stem. Maar Bob liet zich nu eens een keer niet uit de tent lokken. Sara verstarde en marcheerde verder. Het leek wel of ze iets krommer ging lopen onder die opmerking.

'Hé, dikke...'

'Hou je kop toch, Jan-Joost,' zei Bob plotseling fel. 'Weet je... Eigenlijk, hè... ben jij gewoon een zielig ventje.'

Dat had Jan-Joost niet verwacht. Even wist hij niets te zeggen.

'Je kunt alleen lol hebben om de ellende van anderen. Sara is meer waard dan tien van die lulletje rozenwaters zoals jij.'

Verontwaardigd hapte Jan-Joost naar adem, maar Bob keek hem al niet meer aan. Hij zette het op een lopen en haalde Sara al snel in. 'Saar...'

'Laat me met rust,' herhaalde ze.

'Sara, alsjeblieft,' smeekte Bob. 'Luister nou. Plies...'

Toen keek ze hem aan. Ze zag er zo verdrietig uit dat Bob een steek van medelijden en een diep gevoel van schaamte kreeg.

'Laat hem toch zwetsen. Hij is gewoon een grote slapjanus. Met het verstand van een mus.'

'Minder nog. Van een vlo,' zei ze opstandig en ze snifte een keer.

Bob grinnikte voorzichtig.

'Lulletje rozenwaters?' Haar wenkbrauwen schoten opeens omhoog. 'Is het niet: lulletjes rozenwater? Net andersom?'

'Maakt niet uit. Jan-Joost hoort zowel bij de ene als bij de andere,' antwoordde Bob laconiek en tot zijn vreugde zag hij een klein, terughoudend glimlachje. Het ijs begon te breken. Snel ging hij verder. 'Sara, het spijt me zo. Ik heb me als een zak gedragen. Je had gelijk. Ik... Het spijt me echt.'

Even hield hij zijn adem in. Voor hetzelfde geld zou ze zeggen dat hij naar de maan kon lopen. Dat had hij wel verdiend.

'Alsjeblieft, Sara,' pleitte hij, 'we waren een mooie club. De sukkel, de bolle en de kakker. Daar was geen speld tussen te krijgen en nou is het helemaal uit elkaar gevallen omdat ik zo stom heb gedaan.'

'Dit heeft allemaal met die Flora-plant te maken, hè? Met die pitten. Hoe kom je eraan?' vroeg ze en ze hield haar hoofd een beetje scheef. Het zonlicht danste in haar pluizige haar, dat wel van koperdraad leek en glansde alsof er goud in zat. In een flits zag Bob hoe apart en anders ze was, met haar bijzondere kleur haar en haar zomersproetjes en haar groene ogen die wel edelstenen leken. Wat verschrikkelijk jammer, wat ontzettend zonde toch, dat ze dat zelf niet zag!

Hij haalde diep adem en barstte daarna los. 'Ik heb ingebroken bij de kas van die oudjes. En ik heb zo'n vrucht gepikt van de Flora fortuna. Ik heb de pitten eruit gehaald en die gegeten.'

Zo, dat was eruit. Wat een opluchting om te kunnen zeggen wat hij gedaan had! Sara kneep haar ogen samen tegen de zon en knikte langzaam.

'Je hebt van die geluksvrucht gegeten?' vroeg ze voor de zekerheid.

Bob knikte. 'Ja. Vanaf dat moment gebeurden er de vreemdste dingen. Ik voelde me zo goed, alsof ik de hele wereld aankon. Toen Elise op school kwam, was ik opeens niet meer verlegen.'

'Dat heb ik gemerkt, ja. Ik keek net uit het raam toen jij die tennisbal over het plein gooide. Dat was je ook nog nooit eerder gelukt, hè?'

Bob schudde zijn hoofd. 'Alles wat normaal niet ging, lukte toen ineens wel. In het begin. Maar binnen de kortste keren heb ik er een puinhoop van gemaakt.' Hij zuchtte diep. 'Van Sukkelbob naar Superbob naar Supersukkel. Klinkt niet best, hè?'

Tot zijn verbazing begon Sara zachtjes te grinniken. 'Supersukkel? Ach, dat heeft ook wel wat. Weet je... toen je tegen Elise zei dat we een clubje waren, vond ik dat eigenlijk heel goed. Want het is wel zo. De bolle-sukkel-kakkerclub... dat is een soort erenaam geworden. Het is echt balen om ruzie te hebben, dat hebben we nooit gehad.'

Daar was Bob het van harte mee eens. 'Ik vind het ook niks,' zei hij. 'Denk je dat de anderen nog boos zijn?'

'O ja,' zei Sara zonder aarzelen. 'Kom, dan gaan we bij mij thuis een plan maken om de boel weer te lijmen. De BSK-club moet weer terug.'

'BSK?'

'Bolle-sukkel-kakkerclub. Voortaan ben ik er trots op dat ik daarbij hoor!'

'Dag Bob,' begroette mevrouw Pluim hem toen ze de kamer in kwam. Sara was even naar het toilet. 'Alles goed met je? Leuk dat je er weer bent. Sara vertelde dat jullie ruzie hadden gehad.'

Had ze dat verteld? Bob voelde zich warm worden van schaamte, maar mevrouw Pluim lachte hem vriendelijk toe.

'Dat geeft niet hoor. Zelfs de beste vrienden mogen best eens ruzie hebben. Echte vrienden praten het uit en lossen het dan op.'

'Dat zei de meester ook,' zei Bob zachtjes.

'Slimme man, die meester,' vond mevrouw Pluim en ze liep naar de keuken. 'Lust je een stukje bosbessencake?'

'Alstublieft.' In een opwelling liep Bob achter haar aan. 'Mevrouw Pluim, mag ik u iets vragen? Werd u vroeger veel geplaagd… omdat…' Stom. Wat zei hij nou weer? Snel klemde hij zijn lippen op elkaar.

'Omdat ik een dikkerdje was?' vulde ze zelf aan en ze schoof een plak cake op een bordje naar hem toe. 'Dat wilde je zeker vragen, hè?'

Bob knikte ongemakkelijk en nam vlug een hap van de cake. Mevrouw Pluim schonk hem een glas drinken in.

'Natuurlijk wel. Dik zijn zit in de familie, ondanks de goede zorgen van mijn ouders om dat zo veel mogelijk te voorkomen. Ik werd veel geplaagd, maar ik maakte er gewoon het beste van. Als ze me uitscholden voor dikzak, riep ik terug dat ik tenminste niet omviel als het hard waaide.' Ze leek even na te denken en begon te grinniken. 'Ik heb geloof ik eens naar zo'n pestkop geroepen dat ik boven op hem zou gaan zitten en hem zou verpletteren. Ik had een leuke vriendin en met z'n tweeën konden we die rotzakken best aan.'

'Sara wordt ook best vaak uitgescholden,' zei Bob. 'Ik vind dat erg voor haar.'

'Dat weet ik, jongen. Er valt niet veel aan te doen. Sara zei dat jij en Eus ook vaak worden gepest. Daarom is het zo belangrijk om een paar goeie vrienden te hebben. Op een dag zijn de pestkoppen weg en hou je je vrienden over.'

Bob knikte. De deur van de gezellige eetkeuken ging open en Sara kwam binnen. Mevrouw Pluim gaf haar ook een plakje cake en zei toen: 'Ik zal jullie alleen laten, dan kunnen jullie alles eens goed bespreken.'

'Wat heb je toch een leuke moeder,' zei Bob nadenkend en hij keek naar de deur waardoor ze weg was gegaan. 'Had je verteld dat we ruzie hadden?'

Sara knikte. 'Ik vertel mijn ouders bijna alles.' Ze knikte met haar mond vol naar hem. 'Nou jij. Alles vertellen.'

Bob begon bij het begin. Hoe het idee van de Flora fortuna hem niet meer losliet en hoe hij uiteindelijk had besloten om zo'n vrucht te gaan halen. Hij vertelde hoe makkelijk het was gegaan en wat er daarna gebeurde. Dat de eerste problemen begonnen bij de ontmoeting met Eugenes ouders en dat de gelukspitten hem daarna in de steek begonnen te laten.

Tot zijn verbazing begon Sara opeens breed te grijnzen.

'Denk je dat dat daardoor komt?' vroeg ze. 'Jongetje, vergeet het maar. Weet je waardoor dat kwam?' Ze wist iets wat Bob niet wist en dat vond ze zo te zien heel grappig.

'Dat komt door mijn moeder.' Ze lachte nog eens. 'Weet je nog dat we in de keuken zaten vorige week, en dat mam zei dat ze gewoon dom deden? Van het weekend hadden we het er

nog eens over en toen vertelde ze dat het door haar kwam.'
'Ik snap het niet.'
'Mijn moeder was de dag ervoor net in die boetiek van Eus' moeder geweest. 't Is nogal een hotemetoot hoor, die mevrouw Oomen. Zo van... Néé mevrouw, dit is niks voor u...

Weet u wel dat onze prijzen heel wat hoger liggen... U kunt vast beter slagen in de gewone confectiewinkels.'
Bob wist niet wat hij hoorde. 'Wat?! Ze vond jouw moeder niet goed genoeg?'
Sara knikte. 'Precies.'
'Wat heeft ze toen gedaan? Ze is toch zeker wel metéén weggegaan?'
Maar Sara lachte fijntjes. 'Nee hoor. Ze deed wat mevrouw Oomen het allervervelendste vindt... anderhalf uur kleren staan passen, van haar koffie drinken en koekjes eten en na afloop een piepklein sjaaltje kopen.' Ze boog zich naar Bob toe en zei wat zachter: 'In de uitverkoop natuurlijk. Maar toch. Ze zag bijna groen, zei mijn moeder.'
'Dat ze dan toch koffie kreeg!' riep Bob verbaasd uit.
'Er liepen natuurlijk nog meer klanten rond, dus ze moest wel beleefd blijven. Maar ondertussen... Hoor je het al? "Veel plezier ermee, mevrouw", en dan staan te knarsetanden van woede. Al die moeite voor een pietepeuterig sjaaltje.'
'Maar... dan verdient ze toch alleen maar geld door jouw moeder?'
Dat dacht Sara eerst ook, maar haar moeder had het haar uitgelegd. 'Ze zou alleen maar gewonnen hebben als mijn moeder stilletjes weg was gegaan.'
Bob was er stil van. Dus... dus het kwam helemaal niet door die pitten? Het was niet gebeurd omdat hij daarvan gegeten had, maar het kwam omdat Eus' moeder zo'n kleinzielig mens was dat alleen maar chique mensen in haar winkeltje wilde?
Met een zucht van opluchting at hij het laatste stukje cake

op. Toen vertelde hij verder over wat er nog meer gebeurde en hij eindigde met het bezoek van meneer Levis gisteren. Zo goed als hij kon herhaalde hij wat de oude man hem had verteld.

'Zo! Dus hij had het al snel in de gaten,' knikte Sara toen Bob eindelijk uitgepraat was.

Ze stond op en ijsbeerde langzaam door de keuken. Ze herhaalde zachtjes wat Bob haar verteld had en vroeg af en toe iets. 'Verbranden, zei je?' 'Poeder?' 'Bonbob?'

Soms stond ze even stil, tikte dan met haar wijsvinger tegen haar lip en liep daarna weer verder. Bob kende haar goed genoeg om te weten dat haar hersens op topsnelheid werkten en hij wachtte tot ze met een plan op de proppen zou komen.

Midden in een rondje stopte Sara en met een ruk draaide ze zich om. 'Die vrucht, is die er nog?'

'In huis? Dat weet ik niet,' antwoordde Bob. 'Ik heb 'm weggegooid, misschien ligt-ie in de kliko.'

Sara stopte met ijsberen. 'Kom mee. Dan gaan we die eerst redden.'

Huh?

'Wat zei die oude man? Hij verbrandde de vruchten. Grote kans dat je niet van het ongeluk afkomt als je niet hetzelfde doet.'

Terwijl ze naar Bobs huis liepen, vroeg Sara: 'Heb je nog van die pitten?'

Eén tel wist Bob niet wat hij moest antwoorden. 'Nee,' loog hij, 'ze zijn op. Gelukkig.'

'Hoe voelde dat nou?' vroeg Sara door. 'Het viel echt op, hoor, aan het begin van de week.'

Het was geweldig, dacht Bob en hij voelde meteen de gelukzaligheid van de eerste dagen door zich heen golven. 'Het was... cool. Echt vet. Als alles opeens lukt, en mensen zien je staan... dat is echt bijzonder.'

Sara knikte. Ze liep ergens op te broeden, dat zag Bob wel. 'Jammer dat ze allemaal op zijn,' zei ze na een minuutje. 'Ik had er best eentje willen hebben.'

Ze staarde naar een plekje in de verte. 'Ik zou zo graag ook eens een mooi meisje willen zijn,' zei ze heel zacht. 'In plaats van dikke Sara, zou ik wel eens knappe Sara willen zijn. Mooie slanke Sara. Sara met het mooiste haar van allemaal. Sara met het leukste gezicht van allemaal. Het valt niet mee om zo te zijn, weet je.'

Bob gaf geen antwoord. In zijn hoofd woedde een storm van woorden en gedachten. Geef het laatste beetje geluk aan iemand anders, die het harder nodig heeft dan jij. Als je het weggeeft, word je zelf ook gelukkig. Sara is ongelukkig. *Nee! Ze wil dat ding voor zichzelf hebben.* Nietes. Jij, Bob, jij wilt de laatste hebben. Om vanavond verkering te kunnen krijgen met Elise. Onzin. Je kunt geen verkering krijgen door een gelukspit. *Wel waar, ik heb al zo veel voor elkaar gekregen dankzij die pitten.* Niet waar. Jij had al drie vriendschappen verspeeld. Je mag van geluk spreken dat Sara nog met je om wil gaan. En dat was toch precies wat Levis bedoelde? Iemand anders geluk geven, en het niet voor jezelf houden? Je zou Sara je laatste pit kunnen geven. *Nee! Dat wil ik niet!*

'Hallo! Aarde aan Bob! Ben je er nog?'

Hij schrok op en keek in het gezicht van zijn vriendin.

'Sorry. Het houdt me nogal bezig,' zei hij vaagjes.

'Dat kun je wel zeggen, ja,' zei Sara rustig. 'Ik heb je nog nooit zo gezien. Het leek wel of je eraan verslaafd was. Een geluksjunkie.'

'Doe niet zo achterlijk!'

'Je doet zelf anders al raar genoeg,' wees Sara hem terecht.

Een geluksjunkie. Belachelijk zeg. Afwezig dwaalde zijn blik weer af. Verslaafd? Maar dat waren mensen die niet meer zonder iets konden en rare dingen deden om eraan te komen.

Rare dingen...

Hij deed ook rare dingen. Hij vond ook dat hij niet meer zonder kon. En zo was het ook met mevrouw Levis gegaan. Hij had het zelf aan meneer Levis gevraagd, of ze verslaafd was...

Sara had gelijk! Hij moest er een einde aan maken. Het was nu of nooit, en hij zou het toch alleen moeten doen!

Ze hadden het huis van de familie Smelink bereikt en Bob schoot meteen de garage in. In de hoek tegen de grijze muur stond een grote afvalcontainer, waar zijn vader het afval en de vuilniszakken van het restaurant in dumpte. Het prullenbakje uit zijn kamer stond op de grond ernaast.

'Het ruikt hier vies,' zei Sara en ze trok haar neus op. 'Ligt hier iets te rotten?'

'Dat is die Flora fortuna-vrucht,' zei Bob en hij pakte de prullenbak op. Hij kiepte het deksel opzij en meteen werd de stank erger. 'Ja, hier ligt-ie.'

Met dichtgeknepen neus kwam Sara naast hem staan. 'Bah! Haal hem er eens uit.'

Bob haalde een plastic zak en viste de vieze vrucht uit de prullenbak. Hij hield de doorzichtige zak voor Sara's ogen. 'Wat nu?'

'De fik erin,' zei ze zonder omhaal.

'Ik mag geen vuurtje stoken zonder dat mijn ouders erbij zijn,' zei Bob.

Sara nam de zak van hem over en knoopte die resoluut dicht.

'Dan doen we dat wel bij mij thuis,' zei ze. 'Wij hebben een tuinhaard, dat is wel veilig. Goed?'

Bob stemde er meteen mee in. In zijn hoofd begon zich een plan te vormen, maar dat moest hij nog even voor zich houden.

Sara verfrommelde een laatste prop kranten en legde die bij het hoopje dat al in de tuinhaard lag. In het midden daarvan lag de vrucht, opgerold in een krant. Ze gaf een lange gasaansteker aan Bob.

'Jij moet het doen,' zei ze.

Hij keek om zich heen. Sara's zwarte kater zat zich op zijn gemak te wassen in het zonnetje. In de tuin kwetterden de vogels en in de vijver van de buren zat een kikker luid te kwaken. Tussen de fluweelboom en de perenboom vielen spikkels licht op het gras. Opeens kwam de kas weer in zijn gedachten. Daar was het ook zo rustig geweest. Behalve hij en Sara was hier niemand.

'Vooruit, Bob,' moedigde ze hem aan.

Hij knipte op het gele knopje van de aansteker en aan het einde daarvan sprong een vlammetje omhoog. 'Daar gaat-ie,' zei hij en hij hield de vlam bij de kranten.

Het vuur likte aan het papier. Even leek de vlam te verdwijnen, toen kreeg hij vat op het papier en opeens laaide het vuur op, omgeven door grauwwitte rook. Bob deed een pas achteruit en Sara en hij keken naar het vuurtje, dat steeds feller werd.

'Zo branden kranten altijd,' zei Sara. 'Eerst lijkt het weg te zakken, maar dan...'

Haar stem stokte. De rook veranderde plotseling van kleur en schitterende sterren schoten uit de vrucht omhoog. Het vuur werd groen, de rook paarsachtig.

'Achteruit,' zei Bob en hij trok Sara naar achteren. 'Die kleuren zien er giftig uit. Groen vuur en paarse rook, dat betekent vast niet veel goeds.'

'Ruik je dat?' zei Sara verbaasd. 'Het is dezelfde geur van die bloemen. Hoe kan dat nou?'

Maar voor Bob was het niet zo verrassend. Sara's opmerking over verslaving was precies wat hij nodig had gehad om

wakker te worden. De lekkere geur en de mooie bloem waren een lokmiddeltje geweest. Zo simpel was dat. Een lokmiddeltje om jezelf helemaal over te geven aan iets wat je van binnenuit verteerde en alles kapotmaakte.

Maar zo ver laat ik het niet komen, dacht Bob, en hij voelde zich merkwaardig opgelucht terwijl hij in de vlammen staarde. De gekleurde rook kringelde omhoog en loste op in de warme avondlucht. De groene vlammen werden al snel kleiner en minder fel. De vrucht bleef niet lang branden. Een paar minuten later was er niets meer van over en doofde het vuurtje vanzelf. Van de vrucht was niets meer te zien. De asresten werden door de wind uiteen geblazen.

'Wat zijn jullie aan het doen?' De ouders van Sara stonden opeens achter hen. 'Rook dát zo lekker?'

'We hebben iets in het vuur gegooid,' zei Sara en ze keek haar ouders aan. 'Het ruikt wel lekker, maar dat is dan ook alles.'

Dankbaar keek Bob haar aan. Met het verbranden van de vrucht leek het wel of er iets ontsnapt was dat vastzat in zijn borstkas. Hij voelde zich een stuk lichter. Van de twee dingen die hij moest doen, had hij er eentje achter de rug. 'Ik ga naar huis,' kondigde hij aan. 'Vanavond schoolfeest?'

Sara keek bedenkelijk. 'Ik weet het nog niet hoor. Eus en Elise komen volgens mij niet.'

'Hè? Waarom niet?'

'Eus mag vast niet van zijn mammie. Je weet het, hè! Wij zijn niet goed genoeg, dus ze zal wel gezorgd hebben dat hij een golftoernooitje heeft of privétennisles of dat hij naar triangelles moet of zo.'

Bob vroeg hoe ze dat wist.

'Gisteravond mocht hij ook niet naar Elise,' legde Sara uit.

'Echt niet?'

Sara schudde haar hoofd. 'Nope. Ze hadden zeker weer eens *vrinden* op bezoek.'

Bob dacht aan Eugene, die had gezegd dat hij zou komen. Had zijn moeder er toch een stokje voor gestoken en zat hij weer opgescheept met kennissen van zijn ouders, in plaats van een gezellig avondje met zijn eigen vrienden.

'En Elise?' Hij durfde het bijna niet te vragen.

'Ik geloof niet dat ze erg veel zin had,' zei Sara. 'Dus ik weet nog niet of ik wel ga. Wat moet ik daar nou doen met zo'n leukerd als Jan-Joost en die twee wormvormige aanhangsels die altijd bij hem zijn?'

Bob schoot in de lach. 'Kom nou maar naar school. Ik ben er in ieder geval.'

'Ga je weer de blits maken?'

'Nee, gewoon mezelf zijn, dan stuntel ik al genoeg. Kun jij Elise overhalen om te komen? Dan zal ik naar Eus gaan.'

Sara dacht even na en knikte. 'Denk je dat je daar binnen kunt komen?'

'Ik probeer het gewoon,' zei Bob.

'Goed, dan vraag ik Elise wel. Wat spreken we af? Het begint om half acht.'

'Als we nou gaan als iedereen er al is, krijgen we minder gezeur. Het is buiten, hè, vanwege het mooie weer. Ze waren vanmiddag al een partytent aan het opzetten. Kwart voor acht buiten dan, bij de boom op het schoolplein?'

En met die woorden namen ze afscheid en liep Bob naar huis. Hij had nog een hoop te overdenken voordat het tijd was om naar het schoolfeest te gaan.

Hartstikke boos

Een tijdje stond Bob door het witte hek van huize Oomen over de oprit naar de villa te kijken. Het enorme huis lag in de verte, badend in de avondzon die een roodgouden gloed over de witte gevel wierp. Bobs vinger hing besluiteloos boven de bel. Twee keer al had hij willen aanbellen, en twee keer had hij zich bedacht. Hij wist zeker dat het hek niet open zou worden gedaan als hij zei dat hij een vriend van Eus was.

Eus... 'Eugène, het is niet Eus, het is Eugène, en wij willen dat je onze zoon ook zo aanspreekt,' zei Bob deftig en hij probeerde de kakstem van mevrouw Oomen na te doen. 'Arme Eus,' mompelde hij hoofdschuddend.

'Arme Eus? Hoezo arme Eus?'

Met een ruk draaide Bob zich om. Niet te geloven. Daar stond die ouwe man toch alweer...!

'Meneer Levis? Wat doet u nou hier?' bracht hij met moeite uit.

'Ik kwam eens kijken wat je besloten hebt,' zei meneer Levis. 'Je hebt de vrucht verbrand, hè?'

'Eh... ja. Dat klopt. Hoe weet u dat?'

'Kom, dan lopen we een stukje verder. Die mensen in dat witte huis zijn in staat om de politie te bellen als je hier langer dan een minuut stilstaat.' Hij begon langzaam verder te lopen, langs de hoge heg die om het huis groeide. Bob kon niet helpen dat hij nieuwsgierig was geworden. Hoe deed die man dat toch? Iedere keer als er wat aan de hand was, stond hij er opeens.

'Hoe wist u dat ik die vrucht verbrand heb?' herhaalde hij.

Tik... tik... tik... deed de witte wandelstok van meneer Levis. 'Ik rook het. Na al die jaren herken ik de geur uit duizenden, en van vele kilometers. Klopt het dat je nu nog één pit over hebt?'

Zonder het zelf te willen, knikte Bob. 'Ja. Volgens mij moet ik hem aan iemand weggeven.'

'Wel, wel. Weggeven. Weet je al aan wie?' Eigenlijk had meneer Levis een erg plezierige stem. Je luisterde er vanzelf naar en voor je het wist vertelde je hem ook van alles. Hij kon goed luisteren. Bob besefte nog net dat hij helemaal niet had verteld dat hij daarover aan het dubben was.

Van het ene op het andere moment stortte hij zijn hart uit.

'Weet u – dat vind ik het moeilijkste. Eigenlijk wil ik 'm zelf houden, omdat ik het geweldig vond dat ik niet zo stond te stuntelen. Maar Sara... Ze denkt dat ze heel lelijk is en als iemand zegt dat ze dik is, dan... Ze doet altijd wel net of het haar niks kan schelen, maar ik zie wel dat ze soms bijna moet huilen.'

Meneer Levis vroeg: 'Vind je haar lelijk?'

'Hè?' Met een ruk keek Bob opzij. 'Nee! Hoe komt u daar nou bij? Ze heeft een hartstikke leuk gezicht, en die haren zijn zo grappig en ze heeft hele groene ogen, die zijn echt speciaal. Maar dat doet er toch niet toe? Ze is gewoon heel erg leuk.'

Een glimlach verscheen op het gerimpelde gelaat van de oude man. Hij stak zijn hand op. 'Goed, goed. Het was maar een vraagje! Nog meer mensen die je geluk gunt?'

'Elise,' gaf hij schoorvoetend toe. 'Ze valt er ook uit bij de anderen. Een paar meiden uit de klas zijn zo gemeen – ze kreeg al meteen als bijnaam Sloompie omdat ze met ons optrok. Haar moeder is ziek, weet u, en dat is voor haar heel moeilijk. Daarom woont ze bij haar vader.'

Ze sloegen de hoek om en liepen verder. Een hele bups lawaaierige fietsers kwam voorbij, maar Bob merkte het nauwelijks.

'Eus, dat kan ook,' ging hij door. 'Wat heeft hij nou?'

'Alles, zou ik zo zeggen,' antwoordde meneer Levis, maar Bob schudde heftig zijn hoofd.

'Niet waar. Ja, een loei van een zwembad in de tuin en een breedbeeld-tv op zijn kamer. Maar verder? Hij mag nooit iets en hij moet altijd overal mee naartoe en zo. En die kleren die hij aan moet... brrr... vreselijk!'

Meneer Levis stopte even in de schaduw van een grote boom. Hij had een plastic zakje bij zich en haalde daar een flesje water uit, waar hij een slok van nam. 'Jij ook?' bood hij Bob aan, die er meteen achterdochtig naar keek.

'Dat is toch niet een of ander raar goedje, hè?'

'Nee hoor. Gewoon water.'

Meneer Levis gaf hem het flesje. Net toen hij het aan zijn lippen zette, vroeg de oude man: 'En Jan-Joost? Zou je die je laatste pit geven?'

Bob verslikte zich prompt en hoestte zo heftig dat hij het er benauwd van kreeg. 'Nee! Nooit! Die verkneukelt zich alleen maar om de stommiteiten van anderen!'

'Dat zou pas het echte toppunt van opoffering zijn,' zei meneer Levis kalm, maar zijn blauwe ogen glinsterden van pret. Hij tikte een paar keer ritmisch met zijn wandelstok op de stoep.

'Nee! Mooi niet. Hij zou het alleen maar voor zichzelf gebruiken.'

'En jij dan?' Meneer Levis' stem werd plotseling zachter. 'Jij hebt het toch ook gebruikt om er zelf beter van te worden?'

Bob kreeg een kleur. 'Dat was stom,' zei hij meteen. 'Het was leuk zolang het goed voelde, maar daarna... Ik had het helemaal niet meer in de hand. Zoals toen ik zei dat Elise misschien die stiftendoos had gepakt uit het materiaalhok. Dat zou ik normaal nooit zeggen! Ik vind het vreselijk dat ze denkt dat ik zo'n zak ben.

Weet u, ik had dezelfde antwoorden als Eus in zijn proefwerk en ik snap daar niks van. Helemaal niks. Dat zal wel met die pitten te maken hebben, maar ik heb echt niet gespiekt. Echt niet. Eus is hartstikke kwaad en... nou... Ik ga tegen hem zeggen dat het mijn schuld was en dan hoop ik dat hij niet meer boos op me is.' Bob liet een diepe zucht ontsnappen. 'Hij heeft verder helemaal geen vrienden.'

'En ben jij wel een vriend van Eus dan?'

'Ja, natuurlijk,' zei Bob verbaasd. Meneer Levis vroeg wel gekke dingen, hoor. 'Hij kan er toch niks aan doen hoe zijn moeder is? Hoe zou u het vinden als iemand anders zei met wie u moest omgaan, en wie u aardig moet vinden en wie niet!'

De oude man knikte. Aangemoedigd daardoor ging Bob verder.

'Weet u, hij is eigenlijk heel eenzaam. Hij heeft helemaal niemand en hij is heel vaak alleen of hij moet mee naar de vrienden die zijn moeder voor hem uitzoekt.'

Meneer Levis nam nog een slokje water uit het flesje en borg het op. 'Ik moet weer weg, Bob. Tijd om te gaan. Hé... die jongen daar, is dat Eugene niet?'

Bob keek op. In de verte liep een jongen met een eigeel poloshirtje en een blauw-grijs geruite korte broek. 'Aan de kleren te zien wel, ja. Meneer Levis, hoe komt het dat u...'

Waar was die ouwe man nou?

Snel keek Bob om zich heen. De straat was stil en zonnig. Een vrouw met een kindje op een fietsstoeltje kwam voorbij fietsen. De trappers ratelden toen ze langsreed. De zoete geur van de Flora fortuna kriebelde heel even in zijn neus en was het volgende moment weer weg.

Net als meneer Levis. Die was ook weg. Verdwenen. In rook opgegaan.

Maar veel tijd om na te denken had hij niet. Want meneer

Levis had het goed gezien: dat was Eugene die daar liep. Hij had zijn handen in zijn zakken en liep sloffend langs de heg.

'Eus!' riep Bob en hij zette het op een lopen om hem in te halen. 'Eus, wacht even!'

De schouders van Eugene verstrakten en hij stopte niet. Integendeel, hij begon juist wat vlugger te lopen.

'Eus!' hijgde Bob en hij greep zijn arm. 'Eus... ik... Je had gelijk. Het spijt me. Luister – ik kan niet verklaren wat er gebeurd is, maar ik weet wel dat het allemaal mijn schuld is. Ik...' Hij haalde een keer diep adem en ontmoette de stuurse blik van Eugene. 'Ik heb zo'n vrucht gepikt uit die kas. Het gaf me eerst een geweldig gevoel, maar daarna ging alles fout. Tot en met die proefwerken toe.'

Op Eugenes gebruinde gezicht kwam een blik van verbazing. 'Zo'n geluksvrucht? Hoe heette dat ding ook alweer? Die Flora-nogwat? Heb jij die...?'

Bob knikte. Hij zag dat Eugene wilde luisteren en legde hem alles uit. Net als hij tegen Sara had gedaan. Niets sloeg hij over, van het begin met de successen tot de laatste dagen met het ene dieptepunt na het andere. Het enige wat hij wegliet, was het stuk over de laatste pit en wat hij daarmee zou gaan doen.

Eugene luisterde met stijgende verbazing, en toen Bob uitverteld was, zei hij: 'Dus daar kwam het door?'

'Ja. Niet alles, maar veel wel. Ik vond mezelf zo geweldig dat het wel fout moest gaan,' gaf Bob eerlijk toe. 'Er zit natuurlijk wel iets magisch in die pitten. Ik heb echt niet afgekeken en ik snap er nog steeds niks van dat ik precies hetzelfde heb opgeschreven als jij.'

'Als het niet zo'n ongelooflijk raar verhaal was, zou ik je een dreun verkopen,' zei Eugene zonder een spier te vertrekken. 'Maar ik geloof je. Want zoals jij deze week deed, dat was wel heel vreemd.' Hij gaf hem een vriendschappelijke tik tegen zijn schouder. 'Ik de kakker, Saar de bolle en jij de Super? No way.'

Bob grijnsde en Eugene ook. 'Ben je nog boos?'

'Hartstikke. Maar daar denken we niet meer aan, goed?'

'Ga je mee naar het schoolfeest?'

'Mijn moeder heeft vanavond plannen,' zei Eugene en meteen praatte hij weer even vlak als altijd. Uit gewoonte begon hij met zijn shirt zijn bril te poetsen.

'Heb je gevraagd of je mag?' Tot Bobs verbazing haalde Eugene onverschillig zijn schouders op.

'Nee. Het mag toch niet. Ze wil altijd dat ik thuisblijf.'

'Je blijft toch niet thuis? Je gaat naar het schoolfeest!' Bob voelde iets in zich oplaaien. Wat was dat toch met Eugene? Hij wist altijd precies wat hij wilde. En toch liet hij zich helemaal ondersneeuwen door zijn moeder!

'Je móét vanavond mee. Het is de afsluiting van het schooljaar! Dat kun je toch niet laten schieten? Kom! We gaan het gewoon vragen.'

Eugene keek hem aan of hij gek geworden was. 'Wat? Ga jij mee vragen aan mijn moeder...'

'Ja, kom op!' Bob voegde de daad bij het woord en trok Eugene mee. 'Over een paar uur is het al.'

Even sjokte Eugene willoos met Bob mee, tot hij opeens zijn arm lostrok. 'Ik doe het zelf wel,' zei hij. 'Je hoeft niet mee naar binnen.'

'Jawel, want anders zeg jij toch weer...'

'Je hoeft niet mee naar binnen,' viel Eugene hem in de rede. Voor het eerst sinds Bob hem kende, klonk zijn stem grimmig en vastberaden. 'Vanavond ben ik op het feest. Ik zie je daar.' Hij drukte op de bel, het hek gleed opzij en hij stapte het grind op.

'Weet je het zeker?' vroeg Bob nog.

Eugene knikte. 'Heel zeker. Hoe laat spreken we af?'

'Kwart voor acht, bij de boom.'

'Dan zal ik er zijn,' zei Eugene en hij liep snel over het grind naar het witte huis.

Bob keek hem na en toen hij bij de voordeur kwam, draaide hij zich nog een keer om en zwaaide. 'Tot straks!'

Bob liep naar huis met een goed gevoel. Hoe het kon dat die meneer Levis zo plotseling was verschenen en weer verdwenen, wist hij niet, maar deze hele zaak was raar en vreemd. Hij had een tante die in Kamperdam woonde en zei dat ze wel eens een draak had gezien. En een broer van zijn vader durfde te zweren dat er aardwezens woonden onder het park... Allemaal onzin en verzinsels, had Bob altijd gedacht, maar nu wist hij dat er soms onverklaarbare dingen gebeurden. Dingen die heel moeilijk te geloven waren.

Hij glimlachte. Gaandeweg had hij een plannetje bedacht, en eindelijk vielen de stukjes op zijn plaats.

Studentenhaver

Bob zat al een kwartier onder de boom toen Sara en Elise er aankwamen. Onder de partytent was een flinke muziekinstallatie neergezet en er schalde muziek over het schoolplein. De hele bovenbouw was er. Het gelach en geklets van de leerlingen en de onderwijzers vermengden zich met het gesis van flessen cola en sinas en er werd al gedanst. Bob had gewacht tot het grootste deel van de leerlingen in de partytent stond; daarna was hij naar het favoriete plekje van de BSK-club gelopen. Hij glimlachte om de afkorting. Het was een stoere clubnaam, als je niet te veel nadacht over wat het betekende...

Sara knikte hem bemoedigend toe en liet hem alleen met Elise.

'Hoi,' zei hij en hij veegde nerveus zijn handen af aan zijn broek. Het viel niet mee om Elise recht aan te kijken en hij zag dat zij er ook bar weinig zin in had. Dan maar meteen door de zure appel heen bijten.

'Elise... het spijt me heel, heel erg. Ik wist niet wat er met me aan de hand was,' begon hij en meteen vertelde hij wat hij ook aan Sara en Eugene had uitgelegd. Toen hij eindelijk uitgepraat was, merkte hij pas dat Eugene ook op het schoolplein was. Hij stond bij Sara die, tot zijn verbazing, met een jongen uit groep acht stond te kletsen. Elise reageerde niet anders dan de anderen: vol ongeloof en verbazing. Voor haar was het nog moeilijker te bevatten omdat zij er in de kas niet bij was geweest.

'Ik kan het haast niet geloven. Wat een raar verhaal!'

'Het is echt waar,' zei Bob. Hij keek even naar zijn schoenen. Het viel niet mee om toe te geven dat hij fout zat en hij kon zich heel goed voorstellen dat ze het niet wilde geloven. 'Echt.'

'Dus het is nu voorbij?' vroeg ze. 'Geen rare fratsen meer?'

Bob hield zijn vingers gekruist achter zijn rug. 'Niks geks meer.'

'Dacht jij echt dat ik...?'

'Nee.' Bob schudde beslist zijn hoofd voor ze haar zin had uitgesproken. 'Geen moment. Echt niet. Ik snap zelf niet waarom dat in me opkwam.'

'Ik moest echt naar de wc, hoor, toen ik terugging naar binnen. Ik weet niet eens waar dat materiaalhok is,' zei Elise licht verwijtend. 'Ik vind het maar een raar verhaal.'

'Dat is het ook,' zei Bob. 'Je kunt je niet voorstellen wat ik voor een gekke week achter de rug heb. Eerst lukte alles, ik was de koning van de wereld, en het volgende moment zakte ik steeds dieper in de stront.'

'Dan had je die vrucht ook maar niet moeten stelen,' mopperde Elise zachtjes. 'Dan vraag je toch om moeilijkheden?'

Bob knikte schuldbewust. 'Elise, alsjeblieft – ik vind het heel erg wat ik gezegd heb en het zal nooit, nooit meer gebeuren. Kunnen we weer vrienden zijn? Alsjeblieft?'

Het duurde een paar tellen voor ze knikte. 'Goed. Vrienden. Maar nog één keer zoiets en dan...'

Bob stak meteen zijn handen omhoog. 'Echt niet. Beloofd!' Gelukkig, gelukkig, gelukkig! Hij had het weer goedgemaakt!

Ze haalden cola en sinas bij de partytent en namen hun plekje weer in. Eugene, die in de gaten had dat Bob en Elise het hadden uitgepraat, kwam er samen met Sara bij zitten. Sara keek af en toe naar de partytent, waar jongens uit groep acht bij elkaar stonden.

'Leuke jongen gezien, Saar?' vroeg Bob een beetje plagend.

'Pfft, doe niet zo stom,' zei ze, maar ze kreeg een kleur. 'Wat heb je daar?' vroeg ze, wijzend op de plastic zak die hij bij zich had. 'Je gaat je toch niet verkleden of zoiets, hè?'

'Nee,' grinnikte Bob. 'Mijn moeder had nog nootjes staan. Ze vroeg of ik er wat van wilde hebben, want anders moet ze ze weggooien, omdat we bijna op vakantie gaan. Studentenhaver, lust je dat?'

'Studentenwat?'

Bob trok de papieren zak open. 'Gemengde noten met rozijnen. Hazelnoten, walnoten, pinda's, cashew, pecans – lekker hoor. Iemand een nootje?' Hij bood de anderen wat aan en pakte zelf ook een handje.

'O, dat heeft mijn oma ook altijd,' zei Elise en ze grabbelde in de zak. 'Ik lust alleen geen rozijnen.'

'Geef ze maar aan mij, ik vind ze lekker,' zei Bob.

Op het gezicht van Sara kwam een vaag teken van argwaan. Ze hield haar hoofd een beetje scheef en keek hem onderzoekend aan. 'Wat doet je moeder in het pannenkoekhuis met noten?' vroeg ze langs haar neus weg.

Bob wist dat ze iets in de smiezen had. 'Die staan op de bar, in van die kleine schaaltjes. Dat weet je toch wel? Als er mensen wat komen drinken, zet ze die neer.'

'Aha,' zei Sara alleen maar. Een klein glimlachje speelde om haar mond. Het ontging Bob niet dat ze elk nootje eerst bekeek voordat ze het in haar mond stopte. Slimme Sara. Hij glimlachte.

'Lekker, die nootjes. Mag ik er nog een paar?' vroeg Eugene. Bob deelde uit en ze zaten gezellig te snoepen totdat de zak leeg was en Bob de prop in de prullenbak mikte. Dat die ernaast terechtkwam, vond hij voor een keertje niet erg. Hij stond op en gooide hem er alsnog in.

'Zeg, Eus, ik dacht dat jij niet mocht komen?' zei Sara.

Het duurde net even te lang voordat Eus antwoordde. 'Ik ben er toch?' zei hij toen, en hij stopte de laatste walnoot in zijn mond. Bob en Sara wisselden een blik. Daar was iets aan de hand, wisten ze allebei. Niet doorvragen, seinde Bob, maar

Sara zou Sara niet zijn als ze zich daar iets van aan zou trekken.

'Ja, dat zie ik ook. Maar mocht dat dan van je ouders?'

'Jij mag toch ook?' was het weerwoord van Eugene. Hij at zijn mond leeg en nam een slok van zijn cola.

'Wat is dat nou voor een antwoord,' zei Sara korzelig. 'Jouw moeder vindt het meestal toch niet goed dat je...'

Toet-toet.

Eugene verstarde. Bob, Sara en Elise keken tegelijk op. Daar stopte, net buiten het schoolhek, een grote zwarte auto.

'Nee hè,' kreunde Eugene. 'Mijn ouders!'

'Wat moeten die nou hier?'

Mevrouw Oomen stapte uit de auto. Ze zag er bijzonder netjes uit. Het was wel te zien van wie Eugene die blonde haren had. Elke haartje zat in een keurig kapsel gevangen, op zijn plek gehouden door heel veel haarlak.

'Wat heeft die nou op haar hoofd?' fluisterde Sara. 'Het lijkt wel een suikerspin.'

'Ssst,' siste Elise terug, maar ze kon een lachje niet onderdrukken.

Eugenes moeder droeg een spierwit mantelpakje met grote gouden knopen en aan haar arm bungelde een al even wit tasje met een grote gouden gesp. Op hoge hakken trippelde ze driftig naar het hek.

'Eugene! Wat doe jij hier? Kom onmiddellijk naar huis.' De woorden rolden boos over haar roze gestifte lippen. 'Je hebt een pianorecital vanavond. Voor Marie-Louise en Geoffrey Lamersma. Zakenrelaties van je vader, en je weet hoe belangrijk dat is.'

Schoorvoetend kwam Eugene overeind en liep naar het hek. Hij klopte zijn handen af en stak ze in zijn zakken.

'Eus...' zei Sara.

'Niet doen, Eus,' zei Bob. 'Zeg wat terug.'

Langzaam begon Eugene terug te lopen naar de poort.

Nu, dacht Bob. Nu moet het gebeuren! 'Eus! Kom op. Zeg dat je hier wilt blijven. Dat dit voor jóú belangrijk is!'

'Ja,' riep Sara, 'de BSK-club is niet compleet zonder jou. Je kunt niet weg!'

'Watte?' Eugene keek verstoord om.

'Eugene, maak een beetje voort,' beval zijn moeder en ze tikte ongeduldig met een perfect gelakte roze nagel op het witte tasje. 'Vlug vlug, je moet je nog omkleden voor vanavond. Ik heb je witte smoking al klaar laten leggen.'

'De BSK!' riep Sara.

'Eus! Wij zijn de BSK. De Beste Super Kids! Niks bolle-sukkel-kakkerclub.' Bob stak zijn vuist in de lucht.

'De club van Beregoeie Super Kids!' riep Sara naast hem. 'De Bovenstebeste Speciale Kids, Eus! Bob en ik en jij!' Haar stem klonk helder door de avondlucht en kwam zelfs boven het gedreun van de muziekinstallatie uit. 'De Bijzondere Super Kids!' riep ze nog een keer.

Eugene begon langzamer te lopen. Hij draaide zich een kwartslagje en stapte aarzelend naar het hek totdat hij tegenover zijn moeder stond die aan de andere kant ongeduldig wachtte. Ze keek verstoord omdat hij niet opschoot.

'Hè Eugene, waar wacht je op? Kom nu, we hebben niet de hele avond de tijd.'

'Moeder, ik wil hier blijven,' zei Eugene. 'Dit is een feestavond van mijn klas.'

'Welnu, dat spijt me dan, lieve jongen, maar dat kan echt niet, hoor.'

'Dat kan wel,' zei Eugene kalm. 'Ik blijf hier. Het feest is om elf uur afgelopen. Dan sta ik bij het hek.'

'Eugene!' piepte ze geschokt. 'Kom onmiddellijk hier.'

'Nee, moeder,' zei hij beleefd. 'Ik blijf op school. Het is hier gezellig, ik ben hier met mijn vrienden.'

Het was maar zeer de vraag of mevrouw Oomen haar zoon ooit zo'n antwoord had horen geven. Ze stond hem verbijsterd aan te staren.

'Je vrienden? Maar je vrienden zitten bij hockey. En die dochter van de familie Lodewicks, dat is toch een alleraardigst meisje? Zo leuk ook om te zien. En zo netjes opgevoed,' bracht ze er een beetje ongelovig tegen in.

'Moeder, ik heb geen vrienden bij hockey. In ieder geval geen vrienden bij wie ik gewoon kan doen. Het spijt me, maar vanavond kom ik ook niet pianospelen. Ik blijf hier.'

Daar stapte een lange, breedgebouwde man uit. Hij zag er al even netjes uit en droeg een lichtgrijs kostuum. Om zijn arm glom een enorm groot horloge.

'Zoon, genoeg met die fratsen. We hebben vanavond geen tijd om je te komen halen. Je gaat nu mee naar huis. Ja?'

Mevrouw Oomen knikte heftig. 'Precies. Wat haal je je toch voor rare dingen in je hoofd?'

Bob verbaasde zich erover hoe rustig Eugene bleef. Die zette zijn bril af en maakte hem op zijn gemak schoon. Daarna schudde hij langzaam zijn hoofd terwijl hij zijn bril weer opzette en zijn ouders de tijd gaf om het allemaal te laten doordringen.

'Nee, vader. Ik ga niet mee.' Hij kuchte een keer. 'Moeder, ik wil andere kleren. Deze vind ik niet mooi meer. Ik wil naar de kapper en mijn haar lekker rommelig laten knippen. Ik vind dit lelijk. En als we toch in de stad zijn, kunnen we dan meteen All Stars kopen?'

'All Stars?' echode mevrouw Oomen met opengesperde ogen.

'Van die gympen.' Achteloos wees hij over zijn schouder naar zijn vrienden. 'Zoals die van Sara. Vet cool zijn die.'

'V-v-vet... cool?' Naar adem happend stonden Eugenes ouders hem tussen de spijlen van het hek door aan te gapen. Na tien lange seconden begon zijn moeder als eerste te sputteren. Haar blik gleed naar Sara, die nieuwsgierig had staan kijken. Haar stem schoot een paar tonen omhoog toen ze begon te stamelen: 'Maar... Eugene toch, komt dit door haar? Ik wist het wel, ik heb toch gezegd dat...'

'Moeder! Hou op! Hier heeft Sara niets mee te maken. Zij en Bob en Elise zijn mijn vrienden en het maakt hun niet uit als ik een stomme broek aan moet. Maar mij wel. Ik heb daar geen zin meer in. Ik wil zelf mijn kleren uitkiezen.'

'We... we hebben het... er... er straks nog wel over,' zei zijn vader verward. Hij keek alsof hij twee neuzen zag bij zijn zoon.

'Goed,' zei Eugene onbewogen. 'Misschien wil je ook tegen meneer Damstra zeggen dat ik volgend schooljaar niet meer naar golfles kom? Ik vind golf namelijk helemaal niet leuk. En hockey ook niet. Ik zie wel wat in basketbal.'

Bob moest even denken aan een scène uit een oude film,

waarin iemand stijf als een plank achterovervalt. Zo zagen Eugenes ouders er nu ook uit. Ze vielen nog net niet, maar ze stonden minstens zo stijf van verbijstering.

'K-k-k-om, Gérard,' stotterde mevrouw Oomen, die het eerst wat terug wist te zeggen. 'W-w-we moesten maar eens op huis aan gaan.' Met houterige passen liepen ze terug naar de auto, stapten in en reden weg.

Sara, Elise en Bob barstten tegelijk in een klaterend applaus uit. 'Geweldig!' riep Sara. 'Eus, dat was top!'

'Ze waren totaal verrast,' zei Eus een beetje bedremmeld.

'Misschien hadden ze het eerder niet eens in de gaten,' zei Elise. 'Dachten ze altijd dat jij al die dingen wel best vond.'

Eugene draaide zich naar hen toe toen zijn ouders wegreden bij de school. 'Ik vond het ook wel best,' bekende hij. 'Maar sinds deze week... Ik wil iets anders. Ik ben deze duffe kleren en schoenen beu. Wist je dat ik niet eens één spijkerbroek heb? Tijd voor verandering.' Hij grijnsde plotseling, alsof er een last van zijn schouders afgevallen was.

'Je bleef wel netjes, zeg,' zei Elise onder de indruk. 'Ik geloof dat ik al geschreeuwd zou hebben.'

'Mijn ouders zijn ook altijd erg nétjes,' zei hij met een scheef lachje. 'Hoe denk je dat ik aan deze kleren kom?'

De laatste verrassing

De rest van de avond verliep gezellig. Ze dansten, lachten om de onderwijzers die een sketch hielden en vermaakten zich prima.

'Waar gaat Sara toch steeds heen?' vroeg Bob aan Eugene, toen Sara voor de zoveelste keer verdwenen was.

Eugene haalde zijn schouders op. 'Naar de wc?'

'Dan moet ze wel heel vaak plassen,' mompelde Bob. Hij bleef er niet over nadenken – hij had nu iets anders aan zijn hoofd.

Bob probeerde Elise apart te krijgen. Nu was het moment aangebroken waarop hij haar verkering zou vragen. Uiteindelijk had ze net zo opgelucht gereageerd als hij. Hoewel hij zich afvroeg of ze het hele verhaal wel geloofde, zag hij dat ze blij was dat ze het uitgepraat hadden. Als hij haar nou even alleen zou kunnen spreken... Onopvallend liep hij achteruit tot hij bijna bij de deur van de school was. Was ze dat? O nee. Dat was dat meisje uit groep 8, zij had ook zo'n truitje aan.

'Bob Smelink,' siste een stem in zijn oor. Met een ruk draaide hij zich om en keek recht in het gezicht van Sara. 'Jij had er nog een, hè?' zei ze zonder omhalen. 'Slim hoor... die smoes van die nootjes... En 'm dan aan Eugene geven...'

Het was ook te mooi om waar te zijn. Sara kon hij toch niks wijsmaken. Maar tot zijn verrassing lachte ze breed.

'Hartstikke goed. Zoals hij eindelijk iets durfde te zeggen tegen zijn ouders, geweldig gewoon! Dat kwam door die gelukspit, hè? Je hebt hem niet zelf gehouden, maar weggegeven aan Eus.' Ze sloeg hem vriendschappelijk op zijn schouder. 'Goed gedaan, Bobbie. Je wordt nog eens net zo slim als ik.' Meteen begon ze keihard te lachen. 'Zijn ze nou echt op? Dat was echt serieus honderd procent de laatste? De aller-aller-allerlaatste?'

Bob hoefde niet eens antwoord te geven. Aan zijn gezicht kon ze zien dat dat inderdaad het geval was.

'Wat doe jij hier eigenlijk?' vroeg ze toen.

'Eh... ik wacht... eh... ik zocht...'

Sara begon opeens langzaam te knikken. 'Aaaah... ik snap het al! Jij was op zoek naar een zeker persoon... om iets te vragen...'

Bob knikte een beetje verlegen. Hoe kreeg ze het toch altijd weer voor elkaar? Alsof het op zijn voorhoofd geschreven stond, zo doorzag ze hem.

Maar Sara lachte hem niet uit. In plaats daarvan knikte ze in de richting van de tent. 'Ik zag haar net bij het drinken. Ze stond met de meester te praten,' zei ze.

'Bedankt,' lachte Bob opgelucht. 'Ik zal daar dan maar eens gaan kijken.'

Sara knikte en grijnsde naar hem en bleef waar ze was. 'Zet 'm op, Superbob.'

Hij was al vlak bij Elise toen een jongen uit groep 8 hem tegenhield. Bob kende hem niet van naam, maar hij had een vaag bekend gezicht.

'Hé,' zei de jongen aarzelend, 'mag ik je wat vragen? Dat meisje met dat rode haar, daar ben jij vrienden mee, toch?'

Bob knikte terughoudend. 'Ja... en?' Meestal moesten ze iets van haar, als ze zo kwamen. Of Sara wilde helpen met huiswerk of een project of zo. Het was alom bekend dat Sara een pienter meisje was en die jongen zou de eerste niet zijn die daar gebruik van wilde maken. Bob had het vaker gezien: dan was iemand opeens de beste vriend van Sara en vervolgens lieten ze haar vallen als een baksteen.

Op het gezicht van de jongen verscheen een blosje. 'Weet je waar ze nu is?'

'Wie? Sara?'

'Ja. Jullie zijn altijd samen, jij en die andere jongen en zij...' ging de jongen vlug verder. 'Ik bedoel... eh...'

'Hoe heet jij ook weer?' vroeg Bob.

'Harm,' antwoordde de jongen. 'Ik ben Elises broer.' Hij schraapte zijn keel. 'Elise zei dat jullie erg aardig zijn. Ik vind het leuk dat Sara... eh... dat Sara haar vriendin is en ik... eh... en ik vind haar... eh...' Ongemakkelijk keek hij om zich heen.

Bob keek hem aan en begreep het. Hij vond Sara leuk! Opeens werd ook duidelijk waar Sara steeds naartoe was gegaan als ze weer eens 'naar de wc' was. Wedden dat ze met Harm had staan kletsen?

'Wil je verkering met Sara?' vroeg hij recht op de man af.

Harm keek een beetje ongerust. 'Of heeft ze al met jou of met die Eus...'

Bob lachte en schudde zijn hoofd. Goh. Niet te geloven!

'Ze liep net naar die kant,' knikte hij. 'Zal ik haar voor je halen?'

'Nee, dat hoeft niet. Ik... eh... ik moet weg, hoor. Bedankt,' zei Harm, die een kleur als een tomaat kreeg. Hij zette het op een lopen en was, voordat Bob nog iets kon zeggen, de hoek om en uit het oog verdwenen.

Er glinsterde iets op Bobs handen. Zout. Van de nootjes. In gedachten keek hij ernaar. Hij rook eraan en heel licht, bijna onmerkbaar, kon hij de geur van de gelukspit opvangen. Iets klopte er niet. Toch? Het was hem meteen duidelijk geworden dat Eugene de laatste gelukspit binnen had gekregen toen hij met zijn ouders had gepraat. Maar nu? Opeens stond hier een jongen die Sara leuk vond! Hoe kon dat nou? Had Sara die gelukspit dan te pakken gekregen? Was het gewoon toeval dat Eugene opeens iets terug durfde te zeggen tegen zijn ouders? Of was het toeval dat die Harm nu ineens naar Sara vroeg?

Bob dacht aan thuis. Hoe hij op het idee was gekomen om de laatste gelukspit in het zakje studentenhaver te doen. Een keer flink schudden en het ding lag verstopt tussen de noten en rozijnen. Het was de beste oplossing die er was. Zo hoefde hij niet te kiezen aan wie hij die pit zou geven. Het lot zou het bepalen en dat was het eerlijkste van alles.

'Wat sta jij hier in je eentje te staan?' De stem van Elise onderbrak zijn gepuzzel. Ze zag er erg lief uit en Bob knipperde een keertje extra met zijn ogen. Haar korte donkere haren glansden in het licht van de feestlampjes en ze had lange oorbellen in die fonkelden als ze haar hoofd bewoog.

'Niks bijzonders,' zei hij vlug. 'Ik stond een beetje na te denken over Eus.'

'Nou! Wat een stoere opeens, zeg!' Elise knikte. 'Heb jij daar misschien iets mee te maken? Met dat gekke verhaal over die gelukspitten?'

Eigenlijk wilde Bob zijn hoofd schudden en het heel hard ontkennen, maar hij bedacht zich. 'Ik weet het eerlijk gezegd niet,' zei hij eerlijk. 'Ik snap er niet veel meer van.'

Elise begreep hem niet. Ze wist natuurlijk niet dat hij die pit in het zakje nootjes had gedaan.

'Laat maar,' zei hij daarom en hij wapperde afwerend met zijn hand. 'Het doet er niet toe.' Hij dacht aan Sara en de jongen van net.

'Ik heb trouwens net met je broer gepraat.'

'Harm?' zei Elise een beetje verbaasd.

Bob begon te grinniken. 'Ik kende hem van gezicht, maar ik had niet in de gaten dat het jouw broer was.'

Elise knikte en draaide afwezig aan haar oorbel. 'Wat moest hij van jou?'

Alsof het een samenzwering was, boog hij zich iets naar haar toe. 'Geloof het of niet, maar hij vroeg naar Sara. Volgens mij vindt hij haar wel leuk!'

De mooie ogen van Elise werden nog groter. 'Wat? Echt?'

'Ja!'

Ze knikte langzaam. 'Ah... nou snap ik het. Die Harm! Hij vroeg thuis ook al dingen over haar. Wat ze leuk vond, en haar msn-naam en zo. Ze hebben een keer staan kletsen toen ik aan de telefoon was en Sara aanbelde en hij de deur opendeed. Sara is ook leuk. Dat vind jij toch ook?'

Bob knikte. 'Maar ik vind jou leuker,' flapte hij eruit en meteen kon hij zijn tong wel afbijten. Jonge, jonge, hij maakte zichzelf weer eens onsterfelijk belachelijk. Ongemakkelijk deed hij wat Eugene altijd deed: hij zette zijn bril af en wreef hem schoon met zijn shirt. In stilte wachtte hij op de spottende lach. Maar die kwam niet en Bob zette zijn bril weer op. Elise keek verlegen weg en speelde met haar oorbellen.

'Weet je,' zei ze plots en ze hield haar hoofd een beetje scheef, 'je hebt wel heel gek gedaan en zo... maar ik vind je toch wel lief en... eh... wil je misschien met mij... eh...'

Het woord verkering kwam van heel ver weg. Bob wist niet eens honderd procent zeker of ze het echt gezegd had, maar hij sprong op en greep haar hand. Ja! Natuurlijk! En het mooiste van alles was: zij had hém gevraagd en niet andersom!

Elise kneep zachtjes in zijn hand. 'Ik wilde zo graag dat ik hier vrienden zou krijgen,' zei ze. 'Op de andere school was het alleen maar ellende. Ik was echt bang dat het hier weer zo zou gaan.'

'Natuurlijk niet!' riep Bob uit. 'We blijven bij elkaar, hoor! En wie aan jou komt, die... die...'

'...geef je gewoon een oplawaai,' giechelde Elise. 'Mag ik ook bij de BSK-club?'

'O ja! Jij wordt erelid!' Bob lachte. Hij hield Elises hand stevig vast en voelde zich super. Hij had echte vrienden en hij had verkering met het liefste meisje van de school – wat wilde hij nog meer?

Veel te vlug was de avond om. Tegen half elf kwamen ouders bij de schoolpoort om hun kinderen op te halen. Hoewel het maar een klein stukje lopen was naar huis, stonden Bobs ouders al te wachten toen hij naar buiten kwam. De kleine zilvergrijze auto van Eugenes ouders stond bij de stoeprand geparkeerd, maar de man die erin zat was niet Eugenes vader.

'Succes, Eus!' riepen Bob en Elise toen hij naar de wagen liep. 'Volhouden, hè! Morgen naar de kapper en maandag in een spijkerbroek naar school!'

Eugene gaf geen antwoord, maar lachte breed. Hij woelde door zijn zijdeachtige haar, waardoor het even alle kanten opwees. Daarna stak hij zijn hand op als groet en stapte in de auto.

'Daar is mijn vader,' knikte Elise. 'Zie jij Harm ergens?'

Bob draaide een rondje en stootte haar toen aan. 'Kijk daar eens...'

Daar kwam Harm naar de poort gelopen, in het gezelschap van een bekend gezicht. Koperkleurig haar, sproeten en een brede lach: Harm had Sara gevonden.

'Volgens mij vinden ze elkaar wel leuk,' fluisterde Bob. En Elise, die ongelovig een wenkbrauw optrok, kon niet anders doen dan knikken.

'Mijn broer met Sara,' mompelde ze glimlachend.

'Hoi,' zei Sara een beetje ademloos. 'Leuk feest, hè?' Harm, naast haar, grijnsde van oor tot oor. In één stap stond ze naast Bob en siste in zijn oor: 'Hij is zo cool! Hij houdt ook van voetbal, net als ik, en niet van tv-kijken maar wel van lezen, en hij vindt rood haar en sproeten mooi en hij is de beste van de klas dus hij weet precies hoe het is en... en... en...'

'Daar staat pap,' knikte Elise.

Naast een man die dezelfde trekken had als Harm, stond Sara's vader. Zijn rode haar leek wel te vlammen in het licht van de straatlantaarns.

'En dat is mijn vader,' wees Sara. 'Wij wonen bij jullie in de buurt.'

'Zullen we een stukje samen lopen?' stelde Harm voor, en voordat Bob of Elise nog maar iets kon zeggen, hadden ze zich al omgedraaid en liepen druk kletsend naar de wachtende vaders toe.

'Ik zal maar gauw meegaan,' zei Elise, 'want straks vergeten ze mij nog!'

Bob lachte en knikte naar zijn ouders, die genietend van de zwoele avond een praatje maakten met de meester. 'Tot morgen dan? Msn?'

'Tuurlijk. We spreken dan wel iets af. Dag!'

Een kus durfden ze elkaar nog niet te geven, maar Elise gaf hem een kneepje in zijn hand en rende daarna achter Harm en Sara aan. Ze zwaaide nog een keer en daarna liep Bob naar zijn ouders. Hij kon wel juichen!

'Is er iets?' Het viel hem meteen op. Zijn moeder leek wel tien jaar jonger en zijn vader had een grote grijns op zijn gezicht.

'Het restaurant hoeft voorlopig niet dicht! We zijn eruit!' zei zijn moeder, en terwijl ze naar huis liepen vertelde ze over de plannen die ze hadden uitgewerkt.

'We gaan ons specialiseren in pannenkoek-gourmetten,' legde ze uit. 'Eerst moesten we kijken of we wel voldoende geld hadden om die sets te laten maken, maar dat kon. Ik heb een ontwerp gemaakt voor pannetjes. Er zijn drie modellen: een ronde, een vierkante en een driehoekige.'

Het was een beetje moeilijk voor te stellen. Bobs moeder zag de frons op zijn voorhoofd en ging enthousiast verder. 'Snap je het niet, Bob? Stel je een feestje voor met kinderen. Ze kiezen een pannetje, gooien er beslag in en eten vierkante pannenkoekjes die ze zelf gebakken hebben. Of ronde! Of driehoekige. We zijn al aan het denken dat we ook de maan en

de zon en een ster kunnen laten maken, als het een succes wordt! Het is een heel gepuzzel, maar we hebben al iemand gevonden die het voor ons maakt!'

Bobs moeder was zo enthousiast dat hij erdoor aangestoken werd. Ze keek hem stralend aan. 'Geloof maar dat er een heleboel kinderen zijn die zoiets geweldig vinden! Zelf minipannenkoekjes bakken, zo veel als je wilt en dan ook nog in zo'n grappige vorm!'

'Het mooiste is,' vulde zijn vader aan, 'dat de leverancier van die pannetjes het een geweldig idee vindt. We hebben er al patent op aangevraagd en we kunnen het idee en de pannensetjes ook verkopen aan andere restaurants die hetzelfde idee willen gebruiken! Voor veel geld, dus het pannenkoekenhuis...'

'...is gered!' riep Bob, die het eindelijk begreep.

Zijn vader legde een grote hand op zijn schouder. 'Precies, jongen. Het pannenkoekenhuis kan blijven!'

'Wanneer beginnen jullie ermee?'

'Eerst gaan we lekker op vakantie. In de tussentijd worden die pannetjes en bakplaatjes gemaakt. Als we terug zijn en jij weer naar school moet, kunnen we starten. We beginnen natuurlijk met een grote feestelijke heropening!'

Dat Bob die avond niet zo snel in slaap kon komen, was niet verwonderlijk. Er was zo veel om over na te denken, dat hij er bijna dol van werd. Hij had verkering met Elise, Sara ging met Harm, Eugene zou volgende week als een nieuwe Eus op school komen, zijn ouders zagen het weer helemaal zitten met de zaak...

Het was al over tweeën toen Bob eindelijk in slaap viel.

Nog één keer

'En de winnaars zijn... Sara, Bob en Eus!' De meester keek hen trots aan terwijl hij de kaartjes voor het wildwaterpark omhooghield. Bob grijnsde naar de anderen! Yes! Met z'n drieën hadden ze er de hele zondagmiddag aan gewerkt en het was echt mooi geworden. Het leukste was natuurlijk dat Elise er ook bij was geweest en dat ze geholpen had met de tekeningen.

'Heren en dame: een prachtig project, gefeliciteerd. Jullie gezamenlijke kolibrie-werkstuk is goed voor de eerste prijs. Heel duidelijk, mooie foto's en tekeningen, goed uitgewerkt en veel informatie: dit is echt een superproject. Ik wil het graag in de klas bewaren om het volgend jaar aan de nieuwe groep 7 te laten zien.' Meester Frank hield het werkstuk van de drie vrienden omhoog.

Sara straalde en Bob en Eugene – met gel en stekeltjeshaar – grijnsden. Elise stak haar duim omhoog. Zij hoefde geen werkstuk in te leveren omdat zij niet mee was geweest naar de kas.

'Het moest toch over die planten gaan?' vroeg Jan-Joost sikkeneurig.

De meester schudde zijn hoofd. 'Nee, dat heb ik niet gezegd. Jullie moesten een werkstuk maken over iets wat je in de kas gezien hebt. Sara, Bob en Eus hebben gekozen voor iets wat niet voor de hand ligt. Ze hebben goed gekeken en veel informatie verzameld. Daarbij ziet het er ook nog eens heel netjes uit, precies zoals ik het graag zie.'

'Maar...'

'Jij, daarentegen, hebt je er wel een beetje makkelijk afgemaakt,' zei de meester koel. 'Ik hou er niet zo van als de teksten letterlijk van internet geplukt worden.'

'Maar dat heb ik...'

'Niet gedaan? Hm. Kom zo maar eens even langs, Jan-Joost.' De meester deelde de andere cijfers uit en klapte daarna in zijn handen. 'Jongens en meiden, dit was het laatste dat ik nog uit moest delen. Morgen gaan we met z'n allen zwemmen, vrijdag alleen nog maar rapport ophalen en daarna is het vakantie. Denken jullie aan je spullen? Handdoek, zwembroek, eten en drinken? Vragen? Geen vragen? Dan zijn jullie NU uit!'

Joelend renden de kinderen naar buiten. Nog een dag zwemmen en dan was het... vakantie!

'Bob, kijk jij even in het restaurant? Volgens mij komt er een klant binnen,' riep Bobs moeder die avond vanuit de tuin. Bob sprintte door het huis naar voren. Waren zijn ouders alwéér vergeten om de deur op slot te draaien? Tja, dan kwam er nog wel eens een verdwaalde klant binnen.

'Pardon, meneer, het is vakantie. Het restaurant is geslo...' begon Bob toen hij de zaak binnenkwam, maar bij het zien van de bezoeker deed hij zijn mond dicht. Meneer Levis. Alweer. Bob had het hele verhaal met de geluksplant achter zich gelaten. Het was en bleef een raadsel wie nou uiteindelijk de laatste pit had gegeten, maar feit was dat een heleboel mensen een fantastische week achter de rug hadden. En waar dat nou aan lag? Maakte dat eigenlijk nog wat uit?

'Meneer Levis?'

De oude man knikte. 'Dag jongen. Je hebt me het weekje wel gehad, hè?'

Nou, die draaide ook niet om de hete brij heen! Hoe wist die man dat toch allemaal? Bob knikte. Meneer Levis zoog zijn onderlip naar binnen en ging toen verder. 'Slim van je, zoals je dat aanpakte met die nootjes. Zo hoefde je zelf de keus niet te maken.'

Bob haalde zijn schouders op. 'Ik wist niet wat ik moest doen. Het leek een goed idee.'

'Het wás een goed idee,' verbeterde meneer Levis hem. 'Wie denk je dat de laatste gelukspit uiteindelijk gekregen heeft?'

'Dat weet ik niet,' zei Bob hoofdschuddend. 'Ik heb erover nagedacht maar ik weet het nog steeds niet. Sara heeft verkering gekregen met de broer van Elise, dus ik zou zeggen dat zij het was. Maar Elise vroeg verkering aan mij, dus misschien heb ik 'm zelf wel gehad. Of zij, want ze wilde heel graag vrienden hier. En dan Eus – die is in één weekend een totaal andere jongen geworden, en hij is echt vrolijk.'

'En hoe is het met je ouders afgelopen?'

Die waren ook heel opgewekt, maar dat kon ook moeilijk anders. Alles wat ze uitgedokterd hadden, werkte. Het eerste setje pannetjes was deze week binnengekomen en het lukte nog beter dan gedacht. Door een klein berichtje in het huis-aan-huiskrantje en posters in de buurt van het pannenkoekenhuis was het 'zelf je pannenkoekjes bakken' bekendgemaakt, en er waren al aanvragen voor kinderfeestjes binnengekomen.

Bob keek hem onderzoekend aan. 'Wie denkt u dat de laatste had?'

'Misschien...' Meneer Levis keek een beetje raadselachtig. 'Misschien heeft iedereen wel wat gehad. Wie weet is het laatste gelukspitje in stukjes gebroken, en omdat jíj wilde dat al je vrienden hun deel zouden krijgen, is dat ook gebeurd. En ook jijzelf.'

Daar had Bob even geen antwoord op. Verbijsterd keek hij in de lichte ogen van de oude heer, die een denkbeeldig pluisje van zijn broek plukte. 'Je hebt het goed gedaan. Dat is eigenlijk alles wat ik je kwam vertellen.'

De nieuwsgierigheid borrelde op in Bob. 'Hoe kan het toch dat u steeds wist wat er aan de hand was?'

Meneer Levis bestudeerde hem even voor hij antwoordde. 'Als je zo lang als ik bezig bent met alles rond de Flora fortuna

en de gelukspitten, krijg je er vanzelf een extra zintuig voor. Tenminste, dat denk ik.' Hij glimlachte maar was blijkbaar uitgepraat. 'Dag, Bob Smelink. Tot een andere keer.' En zwaaiend met zijn houten wandelstok liep hij met kwieke pas de deur uit.

Een extra zintuig... Ja vast, dacht Bob spottend en hij draaide de deur op slot. Hij had schoon genoeg van al die geheimzinnigheid en onverklaarbare zaken. Wat hem betrof was het allemaal voorbij.

Zes weken later

De BSK-club – die met nieuw lid Harm nu uit vijf leden bestond – stopte voor een rommelige, kurkdroge tuin met een scheefhangend houten hekje waar de verf van afbladderde. Het vrijstaande huis van meneer en mevrouw Levis, met de weelderige tuin en de enorme kas erachter, lag er verlaten en verwilderd bij.

'Is dit waar jullie met de klas geweest zijn?' Elise trok haar wenkbrauwen op. Het vriendengroepje stond naast hun fietsen en Bob, Sara en Eugene keken ongelovig naar de overwoekerde woning en de ondoordringbare tuin.

'Dit kan niet. In zes weken tijd kan het toch niet zo'n puinhoop worden?' zei Sara, die precies onder woorden bracht wat de anderen dachten.

'Laten we eens achter kijken,' stelde Eugene voor. Hij zette zijn fiets tegen de heg en gevolgd door de anderen worstelden ze zich door de dichte struiken en het kreupelhout rond het huis.

'Hè?' Bobs mond zakte open. 'Hoe kan dat nou?'

Harm, die klimop uit Sara's haar plukte, vroeg: 'Hoe kan wat nou?'

'Hier stond die kas!' riep Bob uit. 'Echt een gigantisch ding, het was zo groot dat je erin kon verdwalen!'

Vol ongeloof keken de vrienden naar de tuin. Er was niets meer te zien van een kas. Grote struiken en heesters werden afgewisseld met reusachtige berenklauwen en wilde rabarber. Bomen, hoger dan het huis, rezen tussen de planten op. Het was totaal ondoordringbaar en leek in geen enkel opzicht op de mooie tuin met de tropische kas die hier vóór de zomervakantie nog had gestaan.

'Dit kan echt niet,' mompelde Bob verbijsterd.

'Onmogelijk,' zeiden Sara en Eugene tegelijk.

'Waar zouden die ouwe mensjes zijn?' vroeg Eugene. Hij duwde zijn nieuwe bril wat beter op zijn neus en krabbelde in zijn blonde stekeltjes. Harm worstelde zich door het hoge gras heen totdat hij bij de achterdeur stond en tuurde naar binnen.

'Hier niet, hoor. Het staat leeg!' riep hij.

'Leeg?' echode Bob. Meneer Levis had helemaal niet gezegd dat hij weg zou gaan toen hij in de zaak was geweest. 'Zijn ze weg?'

'Er staat helemaal niks binnen,' bevestigde Harm nog eens en hij kwam daarna teruggeploeterd. 'Hé, als jullie het gezien hebben, kunnen we dan gaan? Het barst hier van de beesten, ik word nou al lek gestoken.'

Volslagen overrompeld keken Sara, Bob en Eugene nog een keer naar de tuin. Niets herinnerde meer aan wat hier had gestaan.

'Kom, jongens, dan gaan we,' zei Sara en ze sloeg een mug weg die voor haar neus zoemde. 'Harm heeft gelijk, hier is toch niks te zien.' In ganzenpas liepen ze over het nauwelijks zichtbare pad om het huis terug naar voren.

Opeens bulderde een stem: 'Wat mot dat hier?'

Met een ruk draaiden ze zich om en keken in het pukkelige gezicht van een roodverbrande man met een enorme bierbuik. Hij had een smoezelig wit hemd aan en hield een hark in zijn grote hand. Grommend herhaalde hij zijn vraag.

'We kwamen meneer en mevrouw Levis opzoeken,' zei Bob snel. 'Maar zo te zien... zo te zien zijn ze weg.'

De man kwam een stukje dichterbij. 'Sta niet te liegen,' snauwde hij. 'Snotjongens als jullie hebben hier niks te zoeken. Opzouten!'

Bob keek de man verbijsterd aan. Die maakte overduidelijke gebaren. Ze waren niet welkom. Hardnekkig bleef Bob staan. 'Maar de mensen die hier woonden, dan?'

'Heb je me niet gehoord?' De man sjorde aan de riem die zijn broek op zijn plaats moest houden.

'Meneer en mevrouw Levis! We zijn er met de klas geweest!' hield Bob aan.

'Die ouwe sukkelaars zijn voor de vakantie al weggegaan. Pleite.'

'Daar stond een kas!' Sara wees naar waar ze een week of zes geleden nog hadden rondgelopen.

'Ik kon dat glas goed gebruiken,' snauwde de man. 'Niet dat je daar iets mee te maken hebt, maar ik heb 'm afgebroken.'

'Maar meneer en mevrouw Levis... waar zijn ze dan naartoe?' hield Bob aan.

'Weet ik veel! Kan je niet lezen?' vroeg de man. Hij wees met een vuile vinger naar een houten bord dat omgevallen was en tussen de struiken lag. Harm trok het omhoog en toen zagen ze dat er 'TE KOOP' op stond.

Het leek gewoon niet echt. Bob knipperde met zijn ogen. 'Maar waar...'

'Heb je stront in je oren? Moeven!' De man had zijn geduld verloren en duwde hen zonder pardon de straat weer op. Hij bleef staan kijken met zijn vettige armen over elkaar totdat ze hun fietsen hadden gepakt en de straat uitgereden waren.

Geen Flora fortuna, geen familie Levis, geen kas, zelfs geen normaal bewoond huis... Sprakeloos keek Bob over zijn schouder. Het huis en de kas stonden in zijn geheugen gegrift.

'Het is van het begin af heel bizar,' zei hij traag. 'Een geheimzinnige plant, die mislukte foto's, een man die mijn gedachten leek te kunnen lezen... Alles hieraan is raar en ongewoon. Ik denk... ik denk dat het hoort bij de magie... Ze zijn gewoon vertrokken. Het is heel, heel vreemd.'

‘Het zag er toch niet zo uit als nu,’ zei Eugene. ‘Snappen jullie dat nou?’

‘En dit is echt, honderd procent zeker, een prachtige tuin met een mooi huis geweest?’ probeerde Harm nog een keer. ‘Nou, dan weet ik het niet hoor.’

‘Ik ook niet,’ zei Elise.

Bob haalde zijn schouders op. De anderen zouden nooit kunnen voelen wat hij voelde, maar hij wist gewoon dat hij gelijk had. ‘Ik snap het denk ik wel.’

‘O?’ Sara zette haar handen in haar zij. ‘Verklaar dan maar eens waarom het eruitziet of er al tien jaar niks meer aan de tuin gedaan is. Het huis zelf ziet er ook helemaal oud en lelijk uit. Dat kan niet in de tijd van één vakantie, hoor.’

Dat weet ik ook niet, dacht Bob en hij gaf geen antwoord. Het had te maken met dezelfde vreemde magie die maakte dat sommige dingen gebeurden nadat hij de vrucht van de Flora fortuna had geplukt. Doordat ze vertrokken waren, waren het huis en de tuin zo snel afgetakeld. Ze hadden de Flora fortuna meegenomen en daarmee was ook de bijzondere invloed op de tuin en het huis weg. Plots begreep hij een heel klein beetje wat meneer Levis had bedoeld toen hij zei dat er sprake was van een ‘extra zintuig’. Het was zo. Hij wist het. Hij voelde het. Wie eenmaal van de Flora fortuna gegeten had, zou dat zijn leven lang blijven merken.

‘Waar zouden die oudjes naartoe zijn gegaan?’ vroeg Sara zich af.

‘Ze zijn terug naar de jungle,’ zei Bob zachtjes. ‘Ze hebben hun geheimen meegenomen. Zodat er nooit meer iemand in de verleiding komt.’ Hij wist niet of iemand het gehoord had, maar dat was ook niet belangrijk. Hij begreep het, ook al kon hij niet zeggen waarom hij het snapte. Het was een geheim dat simpelweg geheim moest blijven.

‘Zullen we gaan zwemmen?’ onderbrak Eugene zijn gemijmer plotseling. 'Bij mij thuis?' Dat voorstel werd met gejuich ontvangen.

'Het mag van zijn moeder,' fluisterde Sara in Bobs oor. 'Sinds het schoolfeest zijn zijn ouders helemaal bijgedraaid! Als je het mij vraagt heeft Eus die laatste pit gehad.'

Je moest eens weten, dacht Bob, maar hij hield wijselijk zijn mond. Uiteindelijk deed het er ook niet meer toe. Het ging erom dat je zelf moeite deed voor dingen die je wilde bereiken, en dat had hij nu wel begrepen. Hij keek nog een keer over zijn schouder naar het huis waar het allemaal was begonnen.

'Hé Bob! Kom je?' riep Eugene. 'Wie het eerst bij mij thuis is!'

Els Ruiters

Els Ruiters is in 1964 geboren in Eindhoven. Daar woont ze nu nog steeds met haar man en twee dochters. Huisdieren hebben ze helaas niet, want daar moet het halve gezin van niezen. Van beroep is Els Ruiters grafisch vormgever. Dat is iemand die ervoor zorgt dat teksten en foto's in tijdschriften er mooi uit komen te zien. Eigenlijk is het net knippen en plakken op de computer. Els vindt het leuk werk, maar wat ze nóg veel leuker vindt, is het schrijven van boeken.

Op school was Taal haar lievelingsvak. Ze begreep dan ook niet dat andere kinderen het vervelend vonden om opstellen te schrijven. Zij vond het juist geweldig! Ook toen ze al lang van school af was, bleef ze verhalen verzinnen. 'Ik schreef van alles, voor volwassenen en voor kinderen. Grappige, trieste, spannende, enge, korte en lange verhalen – ik probeerde het allemaal. Nu schrijf ik het liefste jeugdverhalen, want voor kinderen kan het niet gek genoeg zijn, alles mag en alles kan.'

Op een dag nam haar jongste dochter een van haar verhalen mee naar school, zodat de juf het kon voorlezen. Kort daarna kwamen er klasgenootjes aan de deur die vroegen hoe het verderging: 'want de juf leest niet snel genoeg voor.' Dat vond Els zó leuk, dat ze voorgoed besmet was met het schrijfvirus.

Ze schrijft nu bijna elke dag. 'Het liefst ga ik met mijn laptopje in een gemakkelijke stoel zitten. Soms typ ik op één avond tienduizend woorden, andere dagen zijn het er maar tien. Ik schrijf omdat ik het heerlijk vind om mijn eigen fantasiewereld te creëren, precies zoals ik het wil. Mijn favoriete verhalen zijn dan ook die waarin realiteit en fantasie als puzzelstukjes in elkaar passen. Zodat je denkt: het kan eigenlijk niet, maar toch...'

Lees meer van Els Ruiters!

De Drakenmeester

Zodra Tim de vreemde bal oppakt, voelt hij meteen dat er iets bijzonders mee is. Iets héél bijzonders, zo blijkt als er een paar dagen later een barst in komt. Eerst verschijnt er een pootje, dan een groen-bruin kopje, vleugels, een staart...

Tim is meteen helemaal weg van zijn babydraakje. Maar de snelheid waarmee het groeit, is wel een probleem. Vooral omdat hij zijn nieuwe huisdier geheim moet houden!

ISBN 978 90 216 1619 3

De onmogelijke opdracht

Het begon allemaal met Teuntje, die een brief ging posten.
Plotseling valt ze door een gat in de grond. De aarde sluit zich boven haar en daar zit ze dan, helemaal alleen in het donker. Teuntje weet het nog niet, maar ze is in de Onderaarde beland. En het duurt niet lang of ze raakt verwikkeld in de wilde ontsnapping van een Onderaardse kluiskraker, die helaas haar enige hoop is om ooit weer boven te komen...

ISBN 978 90 216 1959 0

Het geheim van de vleermuisjager

Karim wil zijn spreekbeurt houden over vleermuizen. Dan komt hij erachter dat Tycho, uit zijn klas, beesten in potjes verkoopt. Ook vleermuizen. Karim vindt het verdacht. Hoe komt Tycho aan die vleermuizen? En is het niet heel zielig om ze te vangen en in een potje te stoppen? Samen met zijn vriendin Marloes gaat Karim op onderzoek uit. In een enge ruïne ontdekken ze het geheim van de vleermuisjager...

ISBN 978 90 258 5041 8

behind the podium and the Herald's couch – there was a space between the chairs and the couch and podium, wasn't there?'

'About twelve feet.'

'The room where the figure actually stood – or where the white light was reflected from, to shine around the Herald's couch – would be actually underneath the parlor, or to one side of it . . .'

'I thought it might be something like that.'

'Who wouldn't?' Barnum shrugged. 'Except of course people who aren't used to asking if what they're seeing is really what they're seeing.'

'Pah!' Del Pearce's fists tightened, the names of God and the Devil rippling below his knuckles as if readying for Armageddon. '"The children of this world are wiser in their day than the children of light," the Lord says, but they'll be damned to the flames of Hell all the same.'

'Yet they do come up with some very ingenious devices,' murmured the Comrade, fascinated and at the same time, January thought, rather sad.

'They have a sort of choir singing,' he recalled. 'That would cover whatever noise the mechanism would make.'

'Well, there you are. You have a room nearby in darkness, except for a couple of these calcium lights and a large, angled mirror to throw the image on to the glass. If, as you say, you were taken from your prison room just as you stood in your shirtsleeves, nothing would have been easier than for them to dress someone in your coat – or *my* coat, I should say . . . the garment seems to be having more adventures than I have, since I left my lodgings in New York last Saturday . . .'

'That'd be Hal Shamrock,' pointed out Pearce. 'He's near to Ben's height, and if he put bootblacking on his face, there's not one man in ten in this county who'd see anythin' but, "There goes a great big black nigger who's blacker'n Shamrock".'

'And how many other giant blackamoors are there running at large about Onondaga County?' demanded Barnum rhetorically.

'That's actually very clever,' remarked the Spirit. She settled with her hands folded around her pottery tumbler of lemonade. 'Even should Ben go to Sheriff Harter – even were Sheriff Harter an honest man, which I fear he is not – Harter could not but arrest him. Once he's in jail, I fear there are enough men in this county who believe in Broadax – who believe that the Shining Herald speaks the truth – that Ben might very well come to grief in the jail, before anything can be proven one way or another. Mr Ott, at least, and Raleigh Shadwell over in Auburn, are quite capable of storming the jail. And there are others in the county as well. And even if the matter comes to trial, a judge might well not draw a line between what men say they saw in a vision, and what they can actually have been proved to have seen with their own eyes.'

'More than that,' said January quietly. 'Your adventuresome coat, Mr Barnum, wasn't just the thing they used to identify me. By the daguerreotype that was in the pocket – the daguerreotype I found in Broadax's desk – they now know that I was sent to find Eve Russell. Which means there's a good chance that, whatever their reasons for luring her to them in the first place, they'll have to get rid of her, the minute they sense they're in danger. A judge – or your Sheriff Harter – may not believe me. But they'd believe her. And Broadax knows it.'

The Celestial Comrade said, as if it were a matter of retrieving a pair of gloves dropped at Church, 'Then we'll have to go back.'

'And it had better,' said Barnum, 'be tonight.'

It rained in the afternoon, thunder rumbling over the wooded hills. January ate, and slept, while Del Pearce returned to his own farm – which he shared, January learned, with a niece and her husband – and Barnum assisted the Celestial Comrade with bringing in the cows to be milked. In this he was aided by two women from the New Land Community ('Oh, we're always glad to help the Spirit . . .'), and a man who belonged to the Swedenborgian congregation in Auburn. Waking a little after noon in the tiny attic, January heard their voices rising dimly from the kitchen as the rain drummed on the shingles, talking of Heaven and God's will for humankind and whether it was Peyton Shadwell's dog that had gotten into the New Land hen roost, or a fox. ('It ain't the first time Goliath's gone after chickens, but the bites on that hen don't look big enough for Goliath . . .')

The storm had ceased, and the air felt fresh as if new-laundered,